新

NEW CHINA TRAVEL ENCYCLOPEDIA

中 华 旅 游

百 科

（下册）

吉林人民出版社

新

中华旅游

百科

吉 林 人 民 出 版 社

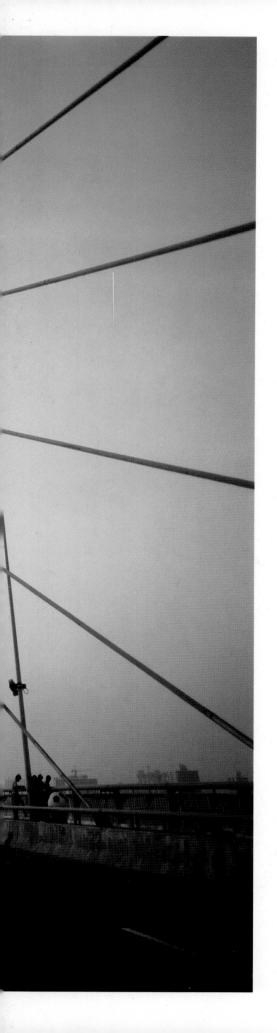

上　海

上海，是中国百年沧桑历史的缩影。这儿有解放前十里洋场的华丽沧桑，也有今天经济改革浪潮中的雄势独踞。散尽纷纷扰扰的历史烟尘，上海露出她最真实的明丽。上海的美，不在她的自然山水，而在于她独有的城市气息和人文景观。上海有见证历史的中共"一大"会址，孙中山、宋庆龄故居，也有昭示改革开放的南浦大桥、浦东新区，有鳞次栉比的老宅、里弄，也有繁华热闹的南京路、淮海路。精细的上海人创造了一座现代化的国际大都市，也创造了一种特别的城市文明。

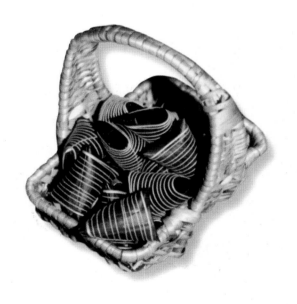

上海旅游指南

景点推荐

豫园	安仁街 132 号
玉佛寺	安远路 170 号
龙华寺	龙华路 2853 号
大观园	青浦金泽杨舍

文化与艺术

上海博物馆	人民大道 201 号
上海历史博物馆	虹桥路 1286 号
上海动物园	虹桥路 2381 号
上海野生动物园	浦东南汇县三灶镇
中共"一大"会址纪念馆	兴业路 76 号
龙华烈士陵园	龙华路 2887 号
鲁迅纪念馆、鲁迅墓	东江湾路 146 号
鲁迅故居	山阴路 132 弄 9 号
孙中山故居	香山路 7 号
宋庆龄故居	淮海中路 1843 号
周公馆	卢湾区思南路 73 号
四海壶具博物馆	兴国路 322 号
算具陈列室	建国西路 378 弄 8 号
雨花石藏馆	曹阳 5 村 268 号
玛瑙奇石博物馆	巴林路 21 弄 6 号
微型乐器博物馆	大林路牌楼路 41 弄 6 号

特别提示

- 上海交通发达，街道密如蛛网，车水马龙，川流不息，出门要记清住处名，以便迷路时好问路归"家"。
- 上海的旅游场所多属历史人文景观，事前可多了解一些有关的历史事件、人物传说、民俗风情等，这样才可为您的旅游增色，否则，很可能玩起来索然无味。

休闲娱乐

大世界游乐中心	西藏南路 1 号
锦江乐园	虹海路 201 号
东海影视乐园	南汇东海农场视景路
中华民族大观园	南汇三处镇
上海环球乐园	嘉定南翔镇北侧
美国梦幻乐园	嘉定黄渡镇
和平饭店爵士酒吧	南京东路 20 号
银星皇冠假日酒店查理酒吧	番禺路 400 号
锦沧文化大酒店英式商务酒廊	南京西路 1225 号
海仓宾馆 505 啤酒吧	南京东路 505 号
上海外滩啤酒总汇	汉口路 11 号
老城隍庙湖心亭茶楼	豫园路 257 号
汪怡记茶艺馆	金陵中路 28 号
宋园茶艺馆	共和新路 167 号
天天旺茶道馆	愚园路 1088 弄 48 号

特色餐饮

上海老饭店	特色：本邦菜，如八宝鸭、糟钵头、扣三丝等	福佑路 242 号
德兴馆	特色：本邦菜，如虾子大乌参、鸡骨酱、竹笋腌鲜、虾仁鱼唇等	东门路 25 号
老正兴菜馆	特色：本邦菜，如脆鳝、冰糖甲鱼、红烧圈子、生煸草头等	山东中路 330 号
北京饭店	特色：京菜，如九转肥肠、挂炉烤鸭等	霍山路 68 号
新雅粤菜馆	特色：粤菜，如冬瓜盅、脆皮桂鱼等	南京东路 719 号
梅龙镇酒家	特色：川菜，如梅龙镇鸡、龙眼豆腐等	南京西路 1081 弄 22 号
玉佛寺素斋部	特色：素菜，如佛手笋、八珍和合等	江宁路 999 号
清真洪长兴羊肉馆	特色：清真涮羊肉	南京东路 685 号
红房子西菜馆	特色：法式西餐	陕西南路 37 号
德大西菜社	特色：德式西餐	四川中路 359 号

特色小吃街：云南路美食街、黄河路美食街、乍浦路美食街

上海名小吃：鸡粥、鸡鸭血汤、南翔小笼包子、排骨年糕、萝卜丝酥饼、眉毛酥、凤尾烧麦、桂花糖藕、两面黄、枣泥酥饼、豆
腐花、葱油拌面、面筋百叶、虾肉馄饨

旅游购物

神州路文化街	以经营传统的纸、墨、笔、砚，各类书籍，各种文具为主
华亭路服装街	以经营各式新潮、价廉的服装为主
北京东路五金街	以经营民用五金交电器材、机器配件、电动工具为主
东台路古玩市场	以经营古瓷、金石等民间文物为主
浏河路旧工艺品市场	以经营旧工艺品、纪念品等为主
江阴路花鸟市场	以经营花、草、鱼、虫、鸟、盆景
南京路	拥有100多家中华老字号特色商店，吃穿用俱全
淮海路	商品以高档、中档为主，有许多专业特色店和名牌时装专营店，素有"穿在淮海路"之称
四川北路	各种日用百货齐全，经中华名品为主，价格中档
豫园商城	上海工艺品、小商品的王国，从古玩玉器、金银首饰到瓶盖、丝绳应有尽有
徐家汇	"高、中、低、廉"的商品并举，集购物、娱乐、餐饮、办公、居住于一体
张杨路	八佰伴新世纪商厦和新上海商城

节庆指南

迎新年撞龙华晚钟	12月31日~1月1日	龙华寺	迎新年、祈福
上海南汇桃花节	4月1日~4月20日	南汇县汇南镇	赏桃花
龙华庙会	4月上旬（农历三月初前后）	龙华镇龙华寺	赶庙会、传统娱乐活动
上海国际茶文化节	4月26日~5月21日	闸北区	茶文化知识介绍，制茶表演
上海桂花节	9月28日~10月15日	漕河泾地区	赏桂花

上海往事

　　上海的历史久远而多彩，公元前三世纪已有文字记载，宋代开始成为贸易港口，商业经济日益发达。鸦片战争后，英、法等国在上海设立租界，上海成为"国中之国"。如果说外滩的外国建筑群是旧上海的缩影，那么鲁迅故居与纪念馆、孙中山故居、中国共产党第一次代表大会会址则是中国人不屈精神的象征。

外滩北起外白渡桥，南抵金陵东路，全长约1.5公里，东面濒临黄浦江，西侧是52幢风格各异的大厦，有哥特式、巴洛克式、罗马式，是具有浓厚异域风情的建筑群。

孙中山故居

孙中山故居位于上海卢湾区香山路 7 号(原莫利爱路 29 号)。这幢深灰色的两层楼房是孙中山先生和夫人宋庆龄于 1918 年 6 月至 1924 年底一起生活、工作的地方。1925 年 3 月,孙中山先生逝世后,宋庆龄继续在此居住到 1937 年。

这幢房子是当时旅居加拿大的华侨为解决中山先生在上海生活和革命活动无固定居所的窘迫处境,集资买下赠送给他的。

鲁迅墓

鲁迅墓位于虹口区鲁迅公园西北隅,系 1956 年 10 月鲁迅先生逝世 20 周年之际,从上海西郊万国公墓迁葬至此。该园是鲁迅先生生前常来休息散步的地方。墓碑上的"鲁迅先生之墓"六个金字为毛泽东同志所题。鲁迅墓全部用花岗岩构筑。墓前草坪上的鲁迅坐像,是 1961 年纪念鲁迅先生诞辰 80 周年时铸成的。整个墓区占地 1600 平方米,环境庄严素穆,朴素清新。

由于国民党的搜捕,"一大"仅在这栋楼房里召开了一部分会议,会议后期转移到浙江嘉兴南湖的一条游船上举行。

中共"一大"会址纪念馆

中共"一大"会址纪念馆位于卢湾区兴业路 76 ~ 78 号(旧为法租界望志路 106 ~ 108 号)。这是两栋砖木结构的二层石库门楼房,具有 20 年代上海市区典型民居风貌,它原是出席这次会议的上海代表李汉俊及其胞兄李书城的寓所。建党大会于 1921 年 7 月 23 日在李寓 76 号楼下客厅秘密举行。

上海老宅

上海是一座特别的城市，有它的辉煌，也有它的沧桑，那各式各样的老房子就是一种见证，穷人的，富人的，都有它们自己的故事。

上海的旧式建筑装饰华丽，具有江南传统风格。

石库门住宅，是具有20年代上海地方风格的民居建筑。其外观整齐划一，内部结构却局促、狭小。这种住宅往往在楼层之间延伸出一间小屋，俗称亭子间，只能摆下一床一桌。因为房租便宜，过去一些贫穷的文人、作家常租住这种房子。

浦东新区陆家嘴保存最完整的一座江南民居。院内门窗、廊柱上的纹饰由法国传统的百合花纹和中国的木雕图案组合而成，具有东西交融的风格。

里弄情结

近年来上海修建了许多现代化的住宅小区，但上海市民依然眷恋着他们住惯了的石库门、小弄堂里的旧居，精明的上海主妇每天早上挎着篮子从弄堂里出来赶早市，她们奔走于各摊位间，寻寻觅觅，货比三家，构成上海特有的风景线。

位于城南的南市区是上海最早的居民区，俗称老城厢。这里街道狭窄、住宅密集。如今，这一带的旧宅已拆除。图为老城厢拆除前的旧观。

古镇朱家角

　　上海市区高楼林立，繁华喧闹，青浦县的朱家角镇却是小桥流水，清雅悠然，这里的生活节奏也比城市里慢几拍，像是沉浸在古老的故事中不愿出来。久在都市的人来到这里，可以暂时忘却每日的忙碌和烦恼，回忆一些温馨的往事。

　　朱家角镇的老街街道狭窄，街两边的楼上人家可以伸手相互递物。两边的房屋是青瓦红门，不时可见从其中一间屋子里走出一位柳眉樱唇的小家碧玉来。

　　放生桥位于朱家角镇东部，跨于漕港上，是上海地区最大的一座石拱桥。全长70.8米，宽5.8米，5孔联拱。旧时此桥被称为"井带长虹"。

古镇朱家角的老街上的"石皮街"街道狭窄，街两边楼上的人可以伸手互相递物。

放生桥在明隆庆五年（1571年）由寺僧募款建造，并规定桥下只许放生鱼鳖，不准捕捞，故名放生桥。

朱家角镇的民居

现代上海

九十年代的第一个春天, 浦东向世界开放, 从此上海的改革开放进入一个崭新阶段, 黄浦江畔的大上海日益成为一个世界性的大都会。

上海博物馆

上海博物馆位于上海市中心的人民广场上, 它始建于 1952 年 12 月, 是国内外著名的中国古代艺术博物馆。1996 年 10 月 12 日上海博物馆新馆全面建成并正式开放。全部建筑面积 38000 平方米, 地下 2 层, 地面 5 层, 建筑高度 29.5 米, 建筑造型为方体基座和巨型圆顶及拱形出挑相结合, 寓意"天圆地方"。

南浦大桥

南浦大桥全长 8346 米, 通航部分净高 46 米, 5.5 万吨级的巨轮可以从桥下从容而过。主桥为一跨过江的双塔双索面叠合梁斜拉桥结构, 跨径 423 米, 全长 846 米。主桥设 6 条机动车道, 桥面总宽度为 30.35 米。两岸引桥全长 7500 米, 其中浦西环绕式引桥长 3754 米, 总投资 8.2 亿元, 1991 年 12 月 1 日建成通车, 这是我国第一座现代化的大型桥梁, 它使上海人圆了"一桥飞架黄浦江"的梦想。

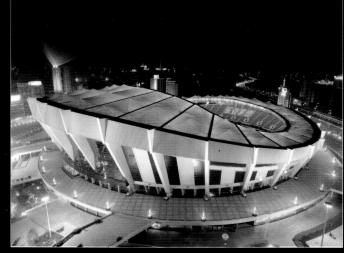

上海体育场

上海体育场建成于1997年9月，可容纳8万名观众，位于地铁一号线和内环线的交汇处。这座马鞍型建筑面积17万平方米，直径300米，被点缀在绿草如茵、繁花似锦的宽阔广场中，犹如绿叶烘托着一朵白玉兰花，成为上海的标志性建筑。

浦东新区

浦东新区位于黄浦江以东、长江口西南，面积约为523平方公里，它与外滩隔江相望，具有无比的地理优势和良好的开发条件。如今的浦东正在向"现代化、多功能化"的目标发展。

东方明珠电视塔

"东方明珠"，上海新建的广播电视塔位于浦东新区浦江之畔的陆家嘴。这座高塔挺拔俊秀，整个塔身置下球、上球、太空舱3个大型球体建筑，塔旁也散置一组球体建筑，高低错落，大小不一。在一片圆形的绿绒草坪上，这些大大小小的圆球体，犹如盘中的珍珠，与高塔上的球体遥相呼应，共同创造出一种"嘈嘈切切错杂弹，大珠小珠落玉盘"的意境。

闹世胜景

上海虽是个人口密集的繁华都会，闹市中却也不乏供人们休闲、游览的好去处。

玉佛寺

玉佛寺为上海著名的佛教寺庙之一，属于佛教禅宗。寺院占地约8000平方米，房屋299间，具有百余年的历史。

清光绪年间，普陀山慧根和尚去印度礼佛朝拜，返国途中取道缅甸，请得大小玉佛5尊，途经上海时，留下白玉雕释迦牟尼坐像和卧像各1尊，在江湾建寺供奉。玉佛寺由此得名。1918年迁至现址。自此，玉佛寺渐成江南名刹之一。

玉佛寺内高达1.9米的玉佛坐像，由整块白玉精雕而成，玉色洁莹，法相庄严，堪称佛教艺术中的瑰宝。

大观园

大观园位于上海西部青浦县淀山湖畔，距市中心65公里，是上海市规模最大的旅游风景区。大观园是按照《红楼梦》中的描述而建造的古典园林，占地8公顷多，建筑面积8000多平方米。园内既具皇家林苑的博大庄严，又有江南园林的典雅秀丽。这里广植各地奇花异卉、古树秀竹20多万株，构成"梅林春深"、"群芳争艳"、"金雪飘香"等景点。

豫园

　　豫园是上海著名的古典园林，位于城隍庙的北面，古香古色的大门正对着荷花池中的湖心亭。豫园是明代曾任四川布政使的潘允端为奉养他的父亲而建，有豫悦父亲之意，所以取名"豫园"。

　　园林现有面积2万平方米。面积虽小，但布局曲折，有亭、台、楼、阁、假山、池塘等30余处。景致各有不同，具有以小见大的特色。园内的砖刻形象生动，具有明、清两代南方建筑艺术的风格。

豫园大戏台是豫园古建筑中的精品，也是上海现存最古老、保存最完整的戏台。

豫园大戏台的藻井雕梁画栋，古意盎然。

豫园共有5条巨龙装饰围墙，这5条巨龙一是伏虎，二是穿龙，三、四是双龙戏珠，五是睡龙。看到了这5条龙，你才称得上游过了豫园，悟到了豫园的精灵秀气。

龙华寺

龙华寺位于上海市区西南的龙华镇旁，是上海地区历史最悠久的古刹。

龙华寺始建于三国吴大帝赤乌五年(242年)。相传，孙权之母吴国太笃信佛教，孙权为了孝敬母亲而建此寺。寺前有高40.4米的龙华塔，为上海市区唯一的宝塔。

购物天堂

上海商业历史悠久，老城隍庙是一个小商品市场集中的地方，南京路、淮海路上则聚集着享誉全国的老商号和现代化商厦。

城隍庙

老城隍庙位于方浜中路249号，是一处道教圣迹。庙中奉祀上海城隍秦裕伯，兼祀霍光，从而有"前殿为霍，后殿为秦"的说法。过去庙会盛行，香客不断，庙内外云集了许多小吃摊、百货摊和杂耍摊，后来逐渐形成以豫园九曲桥为中心的庙会市场。这里的民居、弄堂、商铺自成格局，而且居民多是上海的老市民，风情、习俗饶有特色。

上海有购物天堂之称，左图为老城隍庙商场（又称豫园商场），以专营特色小商品著称，其品种之多、之全为全国之最。

夜幕下的南京路是灯的海洋, 五彩纷呈、争奇斗艳的各种灯光美不胜收。

南京路

　　南京路东起外滩, 穿越26条马路, 横贯上海市区中心, 西至静安寺与延安西路交汇, 全长5.5公里。

　　1840年鸦片战争以后, 上海被辟为通商口岸。南京路遂成为公共租界。二三十年代, 南京路既是旧上海的"十里洋场", 又是一条富有革命传统的马路, 著名的"五卅惨案"就发生在南京路上。

　　解放后, 南京路在原有基础上又新建和扩建了许多专业特色商店, 道路两侧鳞次栉比, 云集着600多家商店, 商品琳琅满目, 应有尽有。如今的南京路每天客流量在170万人次以上, 被誉为"中华商业第一街"。

沪上美食

　　上海菜选料考究, 烹制细腻; 色泽艳丽, 咸鲜适宜, 口味醇厚或清淡素雅, 虽然没有大菜, 却有它令人称绝的独特风味。

　　有人将上海菜区分为"本帮菜"及"海派菜"。清末民初, 16种风味并存上海, 号称16帮, 上海菜是本地菜, 故称本帮菜。本帮菜馆多标榜正宗原味, 其实也揉合了不少苏锡菜特色。"海派菜"即新派上海菜, 较多地吸收了粤、川、宁、扬、苏锡等地方风味及西餐的烹饪手法, 讲究推陈出新。

　　上海小吃素以小巧、风味特别著称。如皮薄馅多, 一包卤的小笼包; 晶莹洁白, 形如鸽蛋, 内含凉丝糟卤的鸽菜圆子; 还有火腿萝卜丝酥饼、眉毛酥、枣泥酥、香菇素菜包等等。

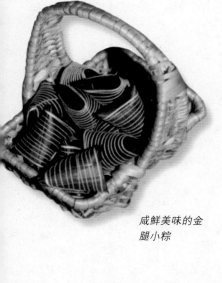

咸鲜美味的金腿小粽

上海名小吃: 南翔小笼包

福　　建

福建带给你的是一片阳光灿烂的亚热带风光。南国的山朗润明丽，南国的水澄碧清亮，山山水水间透着奔放热烈的别样风情。鼓浪屿的海波在日夜歌唱，南普陀的林涛在浅吟低和；菽庄花园风姿千万，客家土楼别具一格。除了游山览水之外，观海也是必不可缺的项目，背倚海礁，面对浪潮，看海鸥点点，数千帆片片。南国的明媚阳光渲染出不一样的碧海蓝天。

福建旅游指南

景点推荐

乌塔	福州市南门西侧乌石山麓
白塔	福州市南门东侧于山
金山塔寺	福州市西郊
鼓山	福州市东约9公里。
于山	福州市中心
马尾	福州市东南约20公里
太姥山	福鼎县城南45公里处
开元寺	泉州市西街
清真寺	泉州市深门街
清源山风景区	泉州市北郊2.5公里
九日山	泉州市西郊
洛阳桥	泉州东北10公里处
鼓浪屿	与厦门一水相隔
南普陀寺	厦门五老峰下
南山寺	漳州市区南郊
武夷山风景区	武夷山市南15公里处
湄州妈祖庙	莆田市东南湄州岛上
闽西南土楼	闽西南地区
铜山古城	东山岛东北隅城关镇

游程建议

武夷奇山异水游

福州(鼓山、西湖、西禅寺、涌泉寺)－武夷山(天游峰、玉女峰、九曲溪、云窝、武夷军团、三清殿、宋街、一线天、鹰嘴岩、水帘洞、天车架、虎啸岩)－厦门(鼓浪屿、日光岩、菽庄花园、皓月园)－泉州(开元寺、老君岩)－石狮(万石岩、南普陀寺、胡里山炮台)

闽西客家游

龙岩－长汀(客家博物馆、古城墙、朝斗岩等)－连城(冠豸山、石门湖、云龙桥)－上杭(李氏大宗祠)－永定(土楼)－广东梅州

东屿休闲游

风动石－关帝庙－铜山古城－郑成功水操台－马銮湾浴场(游泳、沙滩排球、篝火晚会、海边听潮)

文化与艺术

福建省博物馆	福州市
厦门大学人类博物馆	厦门大学内
厦门华侨博物馆	厦门市
泉州海外交通史博物馆	泉州开元寺东侧

休闲娱乐

泉州木偶剧团	泉州市
漳州布袋木偶剧团	漳州市
煌城康乐城	福州市五四北路260号省工业展览大厦
西洋城娱乐	厦门市台光街5、10、12号
乐土雨林	漳州南靖县和溪乡乐土村
九曲漂流	武夷山市九曲溪

特色餐饮

绿岛饭店	特色：粮食丰收鸡、荷叶八宝鸡、绿岛百花脯、金鱼大虾	厦门市中山路232~234号
聚春园菜馆	特色：佛跳墙、炒西施舌、发菜川海鲜、爆炒鳝鱼片	福州市八一七北路130号
新南轩酒家	特色：状元拜塔、八仙过海、原汤鱿鱼	福州市研制得胜桥35号

泉州：同安春饼、蚝仔煎、安海捆蹄、泉州肉棕

厦门：文昌鱼、土笋冻、半月沉江(南普陀素菜)

福州：佛跳墙、七星鱼丸、荔枝肉

武夷山：白莲、笋干、香茹、蛇宴

东山：鲜炒龙虾、炒龙虾片、葵花龙虾

客家美食：擂茶、灯盏糕、豆腐饺、白斩河田鸡、麒麟脱胎

特色小吃：手抓面、猫儿粥、芋子饺、八宝芋泥、鼎边糊

旅游购物

厦门：珠绣、菩提丸

福州：脱胎漆器、寿山石雕、加应子、福桔、福果、福建老酒、脱胎漆器、寿山石雕、牙雕、纸章、马蔺草编

漳州：片仔癀、水仙花、明姜

茶叶：大红袍、武夷岩茶、福州半岩茶、安溪铁观音

闽西八大干：长汀豆腐干、永定菜干、上杭萝卜干、宁化辣椒干、宁化老鼠干、武平猪胆干、明溪肉脯干、连城蕃薯干

三明：建宁莲子

闽南六大名果：荔枝、龙眼、香蕉、文旦(柚子)、柑桔、甘蔗

特别提示

- 福建沿海一带的长途客运业虽红火发达，但有时票价混乱，开车也不准点，游人上车前应认真问清票价、开车时间并货比三家，这样才能安全抵达，减少麻烦。
- 福建天气较暖，冬天最低气温基本在0℃以上，游人不必携带过多过厚的衣服，最冷的时候一件薄羽绒衣也足够了。
- 夏天的福建虽是旅游热点，但平均气温较高，北方人有时会感到不适，但冬季平均气温在20℃左右，常年绿树成荫、花开不断，最宜北方人旅游。
- 厦门至鼓浪屿有专线渡轮，如遇恶劣天气，海上渡轮偶尔会暂时停航。

节庆指南

福建妈祖节	4月25日、10月4日	湄州岛	祭妈祖
孝九节	农历正月二十九	福州地区	吃、送"孝九粥"、太平面
敬祖节	农历三月初三	厦门地区	用薄饼祭祖宗、吃薄饼
采茶灯	春节	龙岩各地	跳采茶舞、对歌
集福	农闲季节	永定各地	演戏、舞狮
乌饭节	农历三月初三	福建畲族人地区	采乌稔叶、吃乌米饭、歌会
封龙节	农历五月二十四	福建畲族人地区	对歌

武夷山水

　　"闽境名山，武夷为尊"。武夷山位于福建省武夷山市南郊，是由红色砂砾岩组成的低山丘陵，属丹霞地貌。这里奇峰若雕，碧水如画，山依溪而列，水绕山而流，山水相间，融为一体。武夷山风景区还有罕见的树木、奇异的花卉、稀有的鸟兽和名贵的药材，特别是这里盛产的武夷岩茶，以其"药饮兼具"的功效，名扬四海。而在武夷山的小藏峰、大藏峰、白云岩、大王峰、观音岩等处，迄今尚存的架壑船棺与虹桥板，千年而不朽，堪称神奇古物。

武夷山游览线路图

大王峰

　　大王峰为武夷山三十六峰之冠，它巍然独耸于九曲溪口，是进入武夷所见到的第一峰，它气势磅礴，轩昂挺立，睥睨四周群峰，有王者之尊。与大王峰隔溪相对的是玉女峰，它们之间横亘着一块巨岩，岩石层层叠起，峭拔如劈，冷峻似铁，称"铁板峰"。传说是它隔断了二峰的通路，拆散了大王和玉女这对恋人。

武夷彭祖

据《武夷山志》载，最早到武夷山隐居的是长寿老人彭祖，时值洪水泛滥，他带领两个儿子开山治水，挖成九曲溪以排洪，挖出的泥土石块就堆成了武夷三十六峰。

九曲溪

　　前人诗云："三三秀水清如玉，六六奇峰翠插天"，三三秀水就是蜿蜒山中的九曲溪。它发源于武夷山脉主峰——黄岗山西南麓的溪流，澄澈清莹，经星村镇由西向东穿过武夷山风景区，盈盈一水，折为九曲，因此得名。九曲溪全长9.5公里，流域面积8.5平方公里，山挟水转，水绕山行，每一曲都有不同景致的山水画意。游九曲，所乘之舟是由8~9根去皮毛竹烤后扎成的。吃水浅、浮力大，游人乘坐安稳舒适，视野开阔，可见山景，能赏水色。游人顺溪漂流而下，疾徐相间，轻松惬意。

每当晴日，大王峰与玉女峰的双双倩影倒映在峰下清潭中，如在镜中相会。

玉女峰

玉女峰

　　玉女峰位于九曲溪二曲溪南，因其酷似亭亭玉立少女而得名。玉女峰突兀挺拔近百米，峰顶花卉参簇，恰似鲜花插鬓；岩壁秀润光洁，宛如玉石雕成。

福州

福州自古为八闽首府，历史悠久，几经风雨。文天祥曾在这里抗击元军，郑和从这里首次扬帆远航，戚继光曾在这里抵御倭寇，林则徐在这里读书成长并走上了为国为民的坎坷道路……不平凡的历史使福州变得丰富而深刻。

乌塔与白塔

乌塔位于福州城南门西侧乌石山麓，因石质乌黑，俗称乌塔。白塔则位于南门东侧于山上，因塔身刷灰，俗称白塔。相传白塔在建造时，从地基里发现一颗光芒四射的宝珠，故取名定光多宝塔。白塔为七层砖木结构，由五代时首代闽王王审知为其父母祈福而创建。据《榕城考古略》记载，明代嘉靖十三年（1534年）塔遭雷击着火，嘉靖二十七年（1548年）重建，是古代福州最高的建筑物。

金山塔寺

金山塔寺，俗称金山寺，在福州西郊的闽江西港，距市中心约8公里。金山塔寺立于江心沙渚小丘之中，削拔数丈，江潮涨水而小丘不没，古时诗文多以镇江金山相比拟，称其"小金山"。寺内中心建有一座实心石塔，七层八角，高近12米，原作航标之用，元代王翰诗咏"胜地标孤塔，遥津集百船"，可知最迟为元代建筑。

鼓山

鼓山位于福州市东约9公里处,海拔969米,因山上有一巨石,形为鼓,每逢风雨大作,便隆隆有声,故名鼓山。鼓山不仅是福州著名风景区,而且还是佛教胜地。

哪里有一丛碧篁,哪里就有畲家一户人;哪里有一片翠竹,哪里就有畲族一座村。竹编是畲家传统民间工艺。

太姥山

太姥山为闽东第一胜景,位于福鼎县城南45公里处,方圆60平方公里,三面临海,山峰突起,巍峨挺拔。太姥山景观最引人入胜者当数奇峰、怪石、异洞、云海,尤其是怪石,似人似物,形态生动。有人说,太姥山无石不奇,尽态极妍。太姥山还是畲家的山,这里畲村遍布,他们自称"山哈",即山的客人的意思,表明是外地迁来的。畲族是一个历史悠久的民族,公元七世纪时就已生活在闽、粤、赣三省交界的山区。大约在公元1201~1307年间向闽南、闽北迁徒,随后又逐渐集中到闽东。他们依山建居,倚山造田,勤劳勇敢。

泉州

泉州是一座历史悠久的文化名城，早在两千多年前，便有古越人在此生息繁衍。泉州别称很多，因其宋代石筑古城形如鲤鱼，曾称"鲤城"；因其地属亚热带，临海气候温和湿润，又得雅称"温陵"。泉州一名，据府志载："乃因清源山之虎浮山泉，湛然澄清而得名。"

泉州双塔

专家指点

福建沿海一带的长途客运业虽发达，但有时票价混乱，开车也不准点，游人上车前应认真问清票价、开车时间并货比三家，这样才能安全抵达、减少麻烦。

开元寺雕刻

开元寺

泉州城内西街的开元寺是一座千年古刹，向来与北京广济寺、杭州灵隐寺、厦门的南普陀寺等齐名。开元寺始建于686年，初名桑莲寺或紫云寺，后改为龙兴寺，唐开元年间玄宗诏改为开元寺。

开元寺建筑宏伟壮丽，其建筑艺术之美和雕刻之多，是其他同类寺庙所少有的。相传原来大雄宝殿有又粗又高的石柱100根，都是完整的巨石，故又称百柱殿。殿顶为重檐歇山式，内部斗拱重叠，石柱的顶上梁架下有24尊飞天乐伎，人身鸟脚，袒胸露臂，像在展翅飞翔。

大雄宝殿两侧大院中矗立两座石塔，称紫云双塔或东西塔，也被誉为"泉州双塔"。东塔原名镇国塔，高48.24米；西塔原名无量仁寿塔，高44.06米，分别建成于865年和916年，原塔都是木质结构，南宋时改为石塔，在没有起重机的条件下，用填土搬石逐层建造而成。两塔相距约200米，各高五层，八角形。塔身每层各面都有石刻佛像两尊，每层16尊，全塔共80尊，神态各异，刻工精美。

清源山

清源山又名北山、泉山、齐云山，为泉州城北屏障，海拔166米，面积62平方公里。清源山水秀山奇，景色绝佳，世称"清源之奇以石，清源之灵以泉"，"清源鼎峙"历来为游客登临览胜之佳境。清源山右峰峻峭，中峰巍峨，左峰迤逦，层峦叠嶂，壑深洞幽，旧日以36洞天为其精华景物，如今老君岩、千手岩、弥陀岩，尚保存原貌；巢云岩、寒山岩、紫泽洞亦存有遗迹。这些岩洞，或妙景天成，或人工雕造，都各具特色，各臻其美。

老君岩位于清源山左峰罗山、武山下，为一座宋代天然岩石雕成的老君坐像，高5.1米，造型生动，刻工精巧，是我国现存最大的道教石雕像。

"八闽"的由来

福建亦称"八闽"。"闽"在福建，最早是族称，即为福建土著民族的称呼，后来也指福建这块地方。秦以前的福建，一般称"七闽"，因为有七个土著部落。到北宋时，福建有八个相当于府（郡）的行政单位，且历经元、明、清几个朝代基本上无变化，所以八闽之称一直延用下来。

洛阳桥

洛阳桥又名万安桥，人称"海内第一桥"，在市区北郊洛阳江入海处，是北宋皇祐五年至嘉祐四年，由泉州郡守蔡襄主持兴建。该桥为举世闻名的梁式海港巨型石桥，原长1200米，宽5米，桥墩46座，桥栏柱500根，石狮28只，石亭7座，石塔5座，规模宏伟，工艺卓越。桥建在江海交汇处，水阔浪急，先民采用筏型桥墩及种蛎固基，为我国乃至世界造桥史上的创举。

鹭岛厦门

厦门位于福建南部九龙江入海处，原名为嘉禾屿，后称中左所，明初为防倭寇而建造厦门城，厦门一称始见于世。据记载，这里以前曾是大群白鹭的栖息地，不仅郊区野林，就连城内榕树上，都有三五成群的白鹭，朝出暮归。远眺厦门岛也好似一只白鹭，所以厦门又叫鹭岛。

日光岩

鼓浪屿

鼓浪屿与厦门一水相隔，厦鼓海峡长仅700多米。鼓浪屿山上怪石嵯峨，叠成洞壑，洞内海风扑面，涛声如雷，因而得名。鼓浪屿面积仅1.81平方公里，小岛终年绿树成荫，花香扑鼻，被誉为"海上花园"。这里没有车辆，任何人到了鼓浪屿都要靠自己两条腿走路；这里的钢琴密度居全国之冠，到处琴声叮咚，旋律飞扬。

日光岩俗称龙头山，为鼓浪屿的最高峰，高90米。山麓有一

座日光寺，早晨每当太阳从东海冉升，阳光即正射到山石和寺内，日光岩因而得名。站在日光岩峰可看到大担、二担、圭屿、青屿诸岛。明末清初，民族英雄郑成功在此屯兵，操练水师，至今尚存山寨遗迹。

菽庄花园在日光岩南麓，毗邻港仔后海滨。园主林尔嘉，原系台湾富商，清光绪二十一年（1895年）日本侵占台湾后，携眷避居鼓浪屿。1913年秋始建此菽庄，为厦门名园之最。全园利用地形，借山藏海，巧为布局，分藏海、补山两部分。园门内有一短墙，挡住了游人的视线，故名藏海。

南普陀寺

南普陀寺位于厦门五老峰下的南普陀，初建于唐代，已有1000多年的历史，五代时称泗洲寺，宋代改为普照寺，明初毁于大火，清初由晋江人施琅重建，因寺中以供奉观音为主，又在浙江普陀山之南，故称南普陀。南普陀寺主体建筑有天王殿、大雄宝殿、大悲殿和藏经阁。藏经阁后为五老峰山麓，巨石累累，有多处摩崖石刻。

南山寺

南山寺位于漳州市区南郊的丹霞山下，初建于唐开元年间，原名"延福禅寺"，也叫南院，原为陈邕的住宅，明代后改名南山寺。南山寺殿堂高大，主要建筑有天王殿、大雄宝殿、净业堂、藏经阁等。净业堂在大雄宝殿右厢，原名石佛阁，内有一座唐代用花岗岩大石柱雕琢而成的大石佛。藏经阁内奉有一尊大理石佛，高2米，重2000公斤，称玉佛，是清末妙莲法师从缅甸带回来的，为我国仅有的三尊玉佛之一，被称为稀世之宝。

万石岩

位于市区东部狮山北麓，山上奇峰怪石遍布，林木繁茂，文物荟萃。沿山道登上万石岩，放眼四顾，处处是石，大小重叠，横竖倾敧，有的危如累卵，有的稳如泰山，古人石上题刻，称它们是"万笏朝天"、"石浪排空"。

福建民俗

福建原是古越族居住的地区，是古越族文化的发源地。晋唐以后，由于征战不断，中原的汉人，或为了征战，或为避乱，纷纷迁移到福建。中原文化、荆楚文化，随着汉人的迁移而传入了福建，与福建的土著民族——古越族的文化相结合，慢慢地形成了福建特有的文化——闽文化。

土楼

土楼，是以土作墙而建造起来的集体住宅，其形状有圆形、半圆形、椭圆形、方形、四角形、五角形、还有交椅形、畚箕形等，各具特色，其中以圆形的——也称圆楼或圆寨，最为著名，也最引人注目。这种土楼分布于闽西和闽南客家人居住的地方，是客家人传统的民居建筑，体现着聚族而居的民俗风情。

土楼的最大特点在于造型大，属于集体住宅区。单就圆寨讲，最为普通的圆寨，直径50多米，三四层高，里面百余间住房，可住三四十户，二三百人；而较大型的圆寨，直径可达七八十米，高五六层（15～16米），里面四五百间住房，可住七八百人。有的大型圆寨住

宅多达三圈，环环相套，别具一格。

土楼有着一般民宅所没有的优点，因为土楼墙壁较厚，不易倒塌，既可防震、防潮、防盗，还能起到保温隔热作用，冬暖夏凉。被誉为世界上独一无二的神话般的山区建筑。

惠安女的服饰

在福建泉州，引起人们兴趣的要数惠安女的服饰。惠安女的服饰是最奇特的，那份韵味不可言传，却在岁月的流逝中代代传递，成为福建泉州一道美丽的风景。惠安东部妇女穿的衣裤颜色甚为鲜艳；衣身、袖管、胸围紧束，衣长仅及脐位。肚皮外露，现出身段的曲线美。头上的装饰主要是头巾和斗笠，头巾有不同的颜色和花纹图案。头巾把脸包得只露出眼、鼻、口狭小一部分，而斗笠又戴得很低，如不仔细辨认，就是熟人也很难一下子认出斗笠下的人是谁。

妈祖文化

妈祖信仰是福建文化和民俗的重要部分。

妈祖相传是林默娘的神化。林默娘系福建莆田湄洲林愿第六女,生于宋建隆元年,生下弥月不闻啼哭声,取名林默。史载,十几岁时有道家来往其家,指点她学会了气功本领。此后她运用自己的特异功能,察看病人体内病情。她还能预报天气变化,使渔民们避过台风等带来的危险,转危为安。人们非常感激她,都把她当作神女、龙女而崇敬。林默娘于28岁那年去世,附近渔民非常悲痛,自动建造祠庙奉祀她。后来随着航海事业的发展,林默娘的"圣迹"向四面八方传开,老百姓亲切称她为"妈祖",历代统治者亦多次予以褒封,从夫人到妃、到天妃、到天后、到天上圣母,使得对妈祖的崇拜愈加发展。

妈祖庙中一般是"前殿妈祖,后殿观音",即在供奉妈祖的前正殿之后,隔着一个天井,后面是供奉观音菩萨和十八罗汉的观音殿。

妈祖神像

畲族凤凰装

畲族散居在我国东南部福建、浙江、广东省一带,他们长期与汉族交错杂居,但在服饰上仍保留自己的民族特色,尤以畲族妇女的"凤凰装"最具特色。凤凰装的服饰和围裙上刺绣着各种彩色花边,有大红、桃红夹着黄色的花纹,镶金丝银线,象征着凤凰的颈、腰和美丽的羽毛;红头绳扎的头髻,高高盘在头上,象征着凤髻;全身悬挂叮当作响的银器,象征着凤凰的鸣啭。相传畲族始祖盘瓠王因平番有功,高辛帝招他为驸马,在与三公主成亲时,帝后娘娘给三公主一顶非常珍贵的凤冠和一件镶有珠宝的凤衣,祝福女儿三公主象凤凰一样给生活带来吉祥如意。后来当盘瓠王的女儿长大出嫁时,美丽的凤凰从广东凤凰山衔来了五彩斑斓的凤凰装。从此,畲族妇女着凤凰装以示万事如意。

畲族人民对蓝、绿色具有特殊的爱好,这和他们长期生活在山青水秀、气候宜人、物产丰富的环境中有关。畲族妇女服饰用红、黄、蓝、绿、黑等颜色,有层次、有顺序地排列成条纹图案,在衣领上绣一些水红、黄色的花纹。其服饰面料多为棉布。

畲族未婚女子的服装

畲族传统绣花鞋

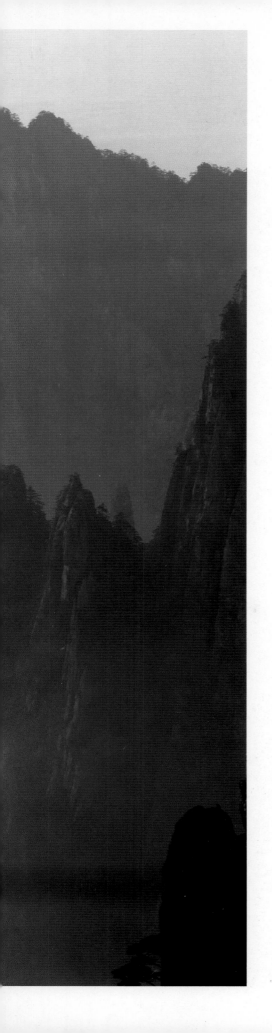

安　　徽

安徽最著名的地方自然是黄山，山奇水秀的黄山尤以怪石、奇松、温泉、云海著称于世。九华山虽名不及黄山，但也风景宜人，自有一番"小家碧玉"的味道。除了自然风光外，安徽是一个历史悠久、人文荟萃的地方：包公祠供奉着一个民族对清官的期盼；各式牌坊记录了漫长历史中各色人物光辉的一瞬；而屯溪老街，斗山古街留下的则是一个民族的古老回忆。另外，安徽出产的徽墨、歙砚自古以来便是文房之宝，游安徽时千万不可错过。

安徽旅游指南

景点推荐

包公祠	合肥市南门外包河公园
逍遥津	合肥市东北隅
明教台	合肥市东门城内逍遥公园旁
新城遗址	合肥市西15公里的鸡鸣山东麓
明中都城	凤阳县城西北隅凤凰山
龙兴寺	凤阳县城北凤凰山日精峰下
明皇陵	凤阳县城西南8公里处
华佗庵	亳州市永安街
古地道（古运兵道）	亳州市区
花戏楼	亳州北关咸宁街
曹操家族墓群	亳县城南郊
黄山风景区	黄山市北约60公里
屯溪老街	黄山市区
许国石坊	歙县城内
棠樾牌坊	歙县城西约5公里
新安碑园	歙县城太白楼
九华山风景区	青阳县城西南
天柱山风景区	潜山县西北
采石矶	马鞍山市西南
垓下	灵璧县东南沱河北岸
琅邪山	滁州市西南
巢湖	巢湖市
褒禅山	含山县城北
陋室	和县境内
霸王祠	和县乌江镇东南凤凰山上
齐云山	休宁城西
杏花村	贵池市西郊

旅游购物

合肥：银鱼、白米虾和中华绒螯蟹被称为巢湖"三珍"

亳州：药材（白芍、亳菊、亳花粉、亳桑皮）、核桃、剪纸、万寿绸被面、狗皮褥子、布鞋

黄山地区：黄山市盛产茶叶，名茶有黄山毛峰、毛尖、太平猴魁、屯溪绿茶、祁门红茶和黄山绿牡丹。其中黄山毛峰与龙井茶、碧螺春一起并称为我国三大名品绿茶。黄山市还出产香菇、竹笋，其所产香菇肉厚、柄短，以花菇和金钱菇为最佳。黄山市还是我国传统的文房四宝中徽墨歙砚的故乡，位于黄山市中心的胡开文墨厂是一家有上百年历史的老厂，其"前店后坊"的形式，可使游客了解到徽墨独特的制作工艺和制作过程。

九华山地区：竹编工艺品、九华云雾茶、龙头拐杖、九华石雕

休闲娱乐

银河大厦宾馆	合肥市美菱大道24号
金安徽国际大酒店	合肥市芜湖路319号
安徽波尔卡娱乐宫	合肥市庐江路93号
健龙娱乐宫	合肥市美菱大道21号
艺林阁	屯溪老街

文化与艺术

中国古鞋博物馆	泗州古城
珠算博物馆	黄山市屯溪老街珠算大师程大卫故居

特色餐饮

合肥：清蒸马蹄鳖、包河鲫鱼

黄山：毛峰鱼片、石耳炖鸡、屯溪醉蟹

九华山：由香菇、银耳、木耳、石耳、黄花菜、面筋、竹笋、豆制品等配制而成的九华素菜

九华名菜：九华三耳（木耳、石耳、银耳）、凤凰烧鸡、天台双冬、冰山雪球、双龙戏珠及佛珠肉、素鸡、素香肠等佛家名菜

徽菜佳肴：徽州臭鳜鱼、虎皮毛豆腐、徽州石鸡、香菇板栗、火腿炖甲鱼、凤炖牡丹等

游程建议

黄山风光游

云谷寺－始信峰－玉屏楼－莲花峰－天都峰－温泉

注：这条路线优点之处在于体力先苦后甜，游兴先淡后浓，食宿容易解决。

观日出最佳地点：清凉台、曙光亭、狮子峰、始信峰、光明顶、天都峰、莲花峰

看晚霞最佳地点：排云亭、丹霞峰、飞来石、光明顶、文殊台

黟县古城游

屯溪（屯溪老街、程氏三宅）－黄山风景区（温泉、莲花峰、天都峰、西海、北海、始信峰）－屯溪－黟县（西递村、宏村）－黔县（许国石坊、古歙县城、棠樾牌坊群）

怡情山水游

屯溪（珠算博物馆、屯溪老街）－黄山（云谷寺、始信峰、玉屏楼、莲花峰）－太平湖－九华山（天台峰、甘露寺）

注：九华镇地处九华山的中心，傍晚漫步在九华街，经常可以看到和尚、尼姑出来散步。九华镇上保持了皖南的传统民居建筑。

屯溪周边游

齐云山（八仙洞、月华街、香炉峰、小壶天）－黟县（古民居、大夫第、《菊豆》拍摄地、赛金花故居）

节庆指南

黄山国际旅游节	10月25日～27日	黄山市	游黄山景点
寿州庙会	农历三月十五	寿州四顶山	传统物资交流会
亳州木兰会	农历四月八	亳州	玩龙灯、舞狮子、表演武术
展沟元宵灯会	农历正月十五	利辛县东南展沟集	大型灯展

特别提示

- 醉蟹为黄山奇特风味，只有秋冬季才能尝到。
- 屯溪老街为商业步行街，禁止车辆进入，游人可安步当车。

黄山

黄山石为骨，云为衣。山高云深，雨量充沛，在低温高压影响下低层水汽常凝结成云雾，险峰幽谷被云雾淹没，远近峰尖，时隐时现，犹如孤岛。置身峰巅，似立大海之滨；松涛泉鸣，交相应和，澎湃之声，不绝于耳。黄山云海妙在似海非海，尤其是日出和日落时，霞海出现，华光绚丽，涌金流银，色彩斑斓，令人叹为观止。

黄山云海，按其形成的方位，分为东海、西海、南海、北海和天海，五海各具特色。这里的山因云而变得神活起来：云来时，波涛滚滚，浩瀚无际；云去时，无声无息，瞬息万变；天晴时，金光万道，色彩缤纷；雾浓时，影影绰绰，不视其容。云生景变，云动景移，动静结合，神秘莫测，百里黄山因云而变幻无穷，妙绝天下。

西海群峰

西海山景：仙人晒靴

西海

西海峰奇水秀，诸多景点千姿百态，栩栩如生。有双笋、尖刀和石床诸峰，以及"仙人晒靴"、"仙女绣花"、"武松打虎"等奇观。排云亭前绝壁千丈，云气缭绕，是欣赏云海、晚霞和奇峰幽谷的佳境。

黄山情侣

名山秀水，山水相依，这是黄山一大特色。在黄山脚下，有一片彩色的水——太平湖。有人说它是黄山的情侣，还有人说它是一块碧绿的翡翠镶嵌在黄山的怀抱中。这里远山、白云、蓝天倒映在清澈如镜的水中，显得生趣盎然。在湖面上，还可以看到江南特有的乌篷船、独人渔舟和竹筏。游船穿行其间，游人品着猴魁名茶，乐而忘返。晚间再品尝精美的"平湖鱼宴"，更觉不虚此行了。

温泉

　　黄山温泉天下闻名，温泉景区即由温泉而得名。在云峰和桃花峰之间，桃花溪清澈见底、潺潺流过，碧水倒映山峰，林木葱茏，数桥飞跨溪水，溪中卵石如玉，岸上名楼如画，亭阁点缀其间，犹如人间仙境。这一带主要景点有：白练悬空的百丈泉，形如"人"字的人字瀑，传说中黄帝炼丹的丹井、药臼和药铫，还有太白洗杯泉、试剑石和醉石等。

黄山凤尾蝶

> ### 黄山四绝
> 黄山集名山胜景于一身，兼有泰山之雄伟，衡山之烟云，庐山之飞瀑，峨眉之清凉；峰形如刀削，色同苍玉，烟云缭绕。奇松、怪石、云海和温泉，历来被称为"黄山四绝"。

醉石

松谷庵景区

　　松谷庵景区为全长约10公里的山间溪谷，这里动植物资源丰富，林荫遮道，清幽秀丽，位于芙蓉、枕头两峰之间的翡翠池，绿如翡翠，明珠飞溅，令人赏心悦目、荡气回肠。

翡翠池

北海

　　北海海拔在 1600 米以上，风景绝佳,狮子峰山腰的清凉台是黄山观日出和云海的最佳之处。始信峰风光绮丽，昔时游人至此，有"始信黄山天下奇"之赞，故名。这一带奇松怪石甚多，有黑虎松、龙爪松、连理松和凤凰松，"梦笔生花"以及"仙人下棋"、"十八罗汉朝南海"、"猴子观海"等怪石更是意趣横生。

北海山景：梦笔生花

叫声清脆婉转的八音鸟

北海山景：猴子观海

玉屏楼

　　玉屏楼高踞于1668米的玉屏峰上，素有"天上宫阙"之称。玉屏楼前后有著名的迎客松和送客松，附近四周有光明顶、莲花峰和天都峰，以天都峰为最险，登峰远眺，犹如置身天庭，无限风光尽收眼底。

玉屏楼莲花峰

黄山第一松——迎客松

专家指点

黄山景区客运索道有3条，分别从前山、后山、东海三个方向载客上下，其下站分别建在慈光阁、松谷庵、云谷寺附近。各索道下站旁，都有公路直通山下，游客可乘旅游巴士往返。此外还有登山滑杆，游人可随处租用。

后山秋景

云谷寺

　　云谷寺坐落在钵盂峰下的一片幽谷之中，苍松竹海湮拥，全长2804米的登山客运索道从这里连接白鹅岭。位于云谷寺可观赏钵盂、眉毛、香炉、罗汉诸峰，以及九折而下跌落成的九龙潭，还可以欣赏"喜鹊登梅"、"双猫捕鼠"、"老僧采药"等奇石。彩色的缆车穿行在群峰云雾之中，也堪称一景。

北

黄山旅游景点示意图

辅村　黄山区（太平）
小洋湖　芙蓉岭　老龙源
大洋湖　翡翠池　仙源
　　　　松谷庵　三口
芙蓉峰　夫子峰
轿顶峰
九龙峰　书箱峰　神仙洞
翠微峰　　福固寺　逍溪桥
翠微寺　驼背峰　　轩辕峰
丹霞峰　狮子峰　猴子观海
云外峰　清凉台　散花坞
排云亭　万松林　曙光亭
　　　　　　　始信峰　石笋峰
西海饭店　北海饭馆　黑虎松
松林峰　飞来石　白鹅峰
　　　　东海门
　　　　气象台
天海宾馆　凤凰松　喜鹊登梅（仙人指路）
云际峰　　狮子捧桃　天狗望月
容成峰　百步云梯　仙人翻桌
钓桥庵　莲花峰　玉屏楼
玉屏宾馆分部　玉屏峰
云门峰　迎客松　天都峰　潭家桥
龙蟠坡　　　云谷寺
汤岭关　天门坎　云谷山庄
醉石　金鸡叫天门
　　　　立马桥　石门电站
慈光阁　从容亭
人字瀑
观瀑楼　温泉　百丈泉　九龙瀑
桃源宾馆　黄山宾馆
　　　　苦竹溪　山岔
黄山大门
黄山长途汽车站
汤口镇

▲▲▲ 山峰
○ 景点
◎ 服务点
＝＝ 索道
—— 公路
‑‑‑ 山路

黄山旅游路线：清晨从黄山市乘车直达慈光阁，由慈光阁乘缆车至玉屏楼，过莲花沟，越天海，上光明顶，经飞来石、排云亭，由白鹅岭乘缆车下山至云谷寺，当晚乘旅游车返回黄山市。或上光明顶后，经右侧山道从701转播台下到始信峰，游北海、西海排云亭，再去松林峰乘缆车下山至后山芙蓉岭，乘车至黄山，夜宿黄山市。

左下图　黄山雾凇
右下图　黄山清凉台
右上图　黄山玉屏山

九华山

九华山位于安徽省青阳县城西南，是中国佛教四大名山之一。

九华山最早称陵阳山。山上有99座山峰，其中天台、天柱、十王、莲花等九座主峰秀丽多姿，远远望去似并肩站立的九个兄弟，因而又叫九子山。

佛国千寺

九华山自古佛事昌盛，早在东晋时代，就有天竺僧怀渡禅师来此山传经，创建茅庵。唐代以后，佛教寺庙在此处相继而建，全盛时有"九华千寺"之说，素称"莲花佛国"。现存寺庙84座，佛像6000多尊，山上古刹与黑瓦白墙的皖南民居纵横交杂，高低错落，浑然一体。尤其是九华街一带寺庙，各抱地势，参差有致，形成以化城寺为中心的古建筑群，其间香烟缭绕，钟磬声、木鱼声、诵经声交响，弥漫着"佛国仙城"的氛围。九华山著名的寺庙还有肉身宝殿、百岁宫、祇园寺、慧居寺等，藏有贝叶经、血经、肉身菩萨等1300多件佛教珍贵文物。

九华山祇园寺的佛事

九华秀色

唐代李白诗云："昔在九江上，遥望九华峰。天河挂绿水，绣出九芙蓉。"此后，"九华山"一直沿用至今。山中奇峰怪石、潭谷洞府、古树泉瀑、绿竹鲜花，独具清新秀逸的风光，是首批国家重点风景名胜区之一。主峰十王峰海拔1341米。九华山著名景观有五溪山色、天台晓日、桃岩瀑布、舒潭印月、九子泉声、莲峰云海、平冈积雪、东岩晏坐、天柱仙踪、化城晚钟等十景。

九华山天柱峰

天柱峰的三祖禅寺

九华山祇园寺

徽州名茶

当今全国十大名茶中，徽州有三种，即黄山毛峰、太平猴魁和老竹大方。闻名中外的黄山特级毛峰茶创制于清光绪年间，主要产于云谷寺、慈光阁、松谷庵、吊桥庵和桃花峰等处，冲泡时雾气缭顶，香郁醇甜，每年仅产350斤极品茶作为外事礼茶。太平猴魁产于猴坑、猴岗、颜家三个自然村，在我国名茶中独具一格，二叶包一芽的"两刀夹一枪"，主脉暗红，汤色清绿，味醇香鲜，有爽口、润喉、明目、提神之效，被国内外市场视为珍奇。"老竹大方"属绿茶中的扁形茶，产于歙县老竹铺的老竹岭等地，以"顶谷大方"品质最佳，色泽深绿乌润似竹叶，所以又称"铁叶大方"，汤色淡黄，香浓而纯，略带板栗香。老竹大方经窨制成花茶，在北方市场最受欢迎。

安徽寻古

安徽有着丰富的历史文化遗产，逆着时光的隧道，让我们一同去寻访先人留下的处处古迹。

蜚声中外的歙砚

包公祠

合肥市的包公祠始建于明弘治年间（1488～1505年），清代重修。祠堂为四合院，正殿5间，两厢各3间，屋后四廊相连。大殿正中设包拯坐像，梁悬"节亮风清"、"包正芒寒"、"庐阳正气"等匾额，还有包拯石像等。两厢存有包公墓出土文物和包拯《家训》碑刻，碑文云："后世子孙仕官有赃滥者，不得放归本家。亡殁之后，不得葬于大茔之中。不从吾志，非吾子孙。"祠东有包公井、流芳亭。因包拯是著名清官，后人有种种传说，如包公井水清甘美，但贪官饮之头痛，如能痛改前非，改恶从善，饮则即好，故而又称"廉泉"。旧处还有清心亭、直道坊，皆取包拯《书郡斋壁》诗意而名。原诗曰：

清心为治本，直道是身谋；
秀干终成栋，精钢不用钩；
仓充鼠雀喜，草尽兔狐愁；
史册有遗训，无贻来者羞。

牌坊在中国古代用来彰显功成名就之士，或旌表贞烈妇女。历经沧桑的牌坊，是安徽历史文化的遗迹，也是精彩的建筑艺术。

赏联三绝

人们称作为"古黟"的黟县位于安徽的黄山脚下，这里不仅有闻名于世的牌坊，而且这里的对联也十分有名。

古黟赏联大抵有"三绝"：一绝是僻壤村宅翰墨飘香；二绝是悬联铭志格言训家；三绝是妙对如林字字如帖。

许国石坊

在古老的歙县山城，一进"阳和门"，迎面是一座跨街矗立、宏伟雅致、奇异独特的石牌坊，这就是著名的许国石坊。

牌坊大多四脚，而许国石坊是八脚，俗称"八脚牌楼"。八脚牌坊很稀罕，据说全国只有两座半，这是唯一剩下的。按古代的定制，只有皇帝才能造八脚牌坊，大臣、平民中如果功德堪以旌表者，经恩准也只可造四脚牌坊，如越制营造，便是欺君大罪。许国以少保兼太子太保、武英殿大学士、礼部尚书，成为内阁大臣，虽权重一时，但为什么能造巍峨的八面碑坊，而且是在他健在的时候就营造牌坊表彰功绩，实属罕见，成了千古之谜。

中都皇陵

明代古陵最著名的除南京的明孝陵、北京的明十三陵之外，在朱元璋的老家安徽凤阳还有一座中都皇陵。当初朱元璋在营建凤阳中都城垣宫殿的同时，还营建了朱元璋父母的皇陵。现在遗址保存尚好，尤其是陵前神道的一套甚为完整的石人石兽，造型完美，雕工极精，属元代艺术风格，其雕刻艺术的精美，为全国少见。

凤阳花鼓

"说凤阳，道凤阳，凤阳本是好地方；自从出了朱皇帝，十年倒有九年荒。大户人家卖骡马，小户人家卖儿郎；奴家没有儿郎卖，身背花鼓走四方。"这是凤阳花鼓的一段悲伤唱词。曲艺"双条鼓"、戏曲"花鼓戏"、民间歌舞"花鼓灯"，合称为"凤阳花鼓"。凤阳花鼓，曾在江浙一带和北京等地广为流传，凤阳花鼓节奏鲜明、舞姿轻盈，曾被昆剧、京剧等吸收为短剧节目。

中都皇陵前的武将石像

中都皇陵前朱元璋亲书的皇陵碑

皖南民风

徽州的古代建筑矗立在秀丽的山水之间，是徽派古文化的积淀和展示，那雄伟精致的牌坊群、古色古香的民居，以及岸边的古塔，无一不告诉人们，这是一块历史悠久、文化发达的土地。

斗山古街

歙县城的斗山街古色古香，明清时这里是徽商的住宅区。徽商在江淮各地赚了大钱后，就在这里大兴土木，广建豪宅。这里的住宅建筑极富特色，古楼高峻，马头墙高昂，天井院张开了口，承接天上的雨水，当地称之是"四水归堂"，也就是"肥水不流外人家"的意思。这样的天井不仅吉利，而且使得四周楼宅采光极佳。斗山街徽商的住宅成群连片，屋宇高大，层层递进，木石结构该繁则繁，宜简则简，既豪华富丽又曲径通幽，门窗石壁屋檐下遍饰木、砖、石三雕，显示了徽派建筑的灵巧精致。斗山街如今已不似明清时期那样流金淌银、日进斗金了，但仍具有灿烂的文物价值。

安徽砖雕

宏村

在徽州一带，有一种别具一格的村舍和保存久远的淳朴民风，使人自然想起陶渊明笔下的那种桃花源式的怡然生活情趣。

安徽的古人，不知是出于对图腾的崇拜，还是出于对相依为命的劳动伙伴的依恋，他们按照牛的形象设计出别出心裁的居民村落——宏村。

环绕全村的山溪清泉，流进各家庭院，被称为这个村落的牛肠；而与此相连的一个半月形池塘，被看作是牛胃；一渠清水由牛胃注入胃南湖，好像进入庞大的牛肚。

沿江河而聚居，是古人早已养成的生活习惯，而这种引山泉之水入村舍、进庭院的精心设计，则不仅满足用水之便，也包含了美化环境、调节气候等更高层次的想象与追求。

屯溪老街

　　屯溪老街位于黄山市西南隅，是市内现存最完好的一条宋式商业长街，距今已有400多年历史，全国罕见。屯溪老街全长约1200米，由2000多块浅赭色条石铺成。沿街房屋多为两层，间以三层，楼下开店，楼上为居室。沿街两侧有茶楼、酒店、书场、墨庄、商场等260多家，各色摊点200多个。门面多为单开门，宽3～5米不等。入内则深邃，连续多进，内院以华丽的天井相联结。一般是前店后库，前通街，后通江。老街货铺鳞次栉比，古色古香，故有现代"宋街"之誉。

徽州的古民居雕梁画栋，简朴大方，每个建筑的布局、结构、雕刻、彩绘，都显示了徽派建筑的特色。

青瓦白墙是皖南民居的一大特色。

山　东

山东集名山胜水、古迹名胜于一身，旅游区也有自己的特色：西部是圣人旅游区，东部是海滨金三角，中间是一条千里民俗旅游线。旅游区里的观光景点有："天下第一泉城"——济南、"天下第一河"——黄河入海口、"天下第一名山"——泰山、"天下第一儒家圣地"——曲阜、"世界风筝之都"——潍坊、"黄海明珠"——青岛、"黄金海岸"——烟台……山东之游会令你在充分饱览山水名胜之余，领略当地风土人情，不枉一次山东之行。

山东旅游指南

景点推荐

趵突泉	济南市区趵突泉公园内
大明湖	济南市区
千佛山	济南市南约3公里
水泊梁山	梁山县南郊
微山湖	山东、江苏省交界处
灵岩寺	长清县境内
孔府、孔庙、孔林	曲阜市区
孟庙	邹城市城南关
泰山风景区	泰安市境内
崂山	青岛市东郊
前海栈桥	青岛市南
蓬莱水城	蓬莱市北郊
戚继光祠堂	蓬莱市区
刘公岛	威海市东约2.1海里的海面上
成山头	威海市荣城县境内
十笏园	潍坊市境内
蒲松龄故居	淄博市南淄川区蒲家庄
芝罘岛	烟台市北
毓璜顶	烟台市中心
长岛	烟台市

文化与艺术

泰山石文化陈列馆	泰安市"孔子登临处"东侧
青岛海产博物馆	青岛市
风筝博物馆	潍坊市潍城区白浪河东岸
李清照纪念堂	济南市区趵突泉公园内

休闲娱乐

牟平养马岛潜海逮参	烟台市牟平县
微山湖猎鸭	微山湖上
汇泉海水浴场	青岛市
呼雷汤水疗	文登市高村镇金岭山南麓
宝泉汤浴疗	威海市

旅游购物

济南：阿胶、红玉杏、泰山小白梨、磨盘柿、平阴县玫瑰油、鲁绣、羽毛画

曲阜：楷雕、碑贴、尼山砚、孔府家酒

青岛：地毯、花边、苇席、贝雕、木模、泥玩具、鲍鱼、扇贝、海螺、大对虾

烟台附近：苹果、莱阳梨、福山樱桃、龙口粉丝、牟平丝绸、莱州刺绣和草艺品、威海的锡镶茶具

特别提示

- 烟台和威海都是胶东港口城市，渔村习俗较为独特。因此，来这里旅游，要注意尊重渔村习俗。例如，渔民忌讳说"翻"、"扣"，而改说"划"、"划过来"。船帆不称"帆"，而称"篷"，升帆俗称"撑篷"。行船时，忌吹口哨，忌跑跳，忌将手背在身后，因背手预兆"打背网"歉收。在船上忌坐"大主"（木桩），忌坐船头，尤忌在船头大小便。

- 海滨旅游，宜带泳装、防晒品、遮阳帽或太阳镜；当地平均气温22.8℃，最好备一套长衣长裤。

- 海滨城市坡路不平，高跟鞋不宜，应带沙滩鞋或旅游鞋。

- 海鲜勿暴食。海鲜性寒，餐间可吃些姜、蒜或适量饮些白酒。

- 山东人热情豪爽，吃饭上菜都是大碗大盘，饭量小的人一定要少点菜，以免浪费。

特色餐饮

便宜坊饭店	特色：锅贴	济南市纬四路93号
大明湖饭店	特色：奶汤蒲菜、布袋鸡、九转大肠、炒虾仁	济南市大明湖东南门路南
汇泉饭店	特色：糖醋鱼、红烧面筋、香酥鸡、爆炸腰花	济南市趵突泉北路201号

济南名菜：糖醋黄河鲤鱼、九转大肠、黄家烤肉、八宝辣椒、熏天花（猪脑）、熏鸡蛋、熏田鸡

曲阜孔府宴：神仙鸭子、一品海参、诗礼银杏、把儿鱼翅、虎卧尼山

微山湖区：用鸡与甲鱼烹制的菜肴"吉祥长寿"、南阳烧野鸭、留庄筒子鱼

胶东菜：福山"吉升馆"有雪花丸子、糟溜鱼片、溜虾仁、烧蛎黄、全家福

济南菜以清香鲜嫩、香味醇厚著称，特别是清汤、奶汤的制作；胶东菜精于海味，在花色冷拼和热菜的制作中别具一格；孔府菜做工精细，尤以炒、烧、炸、扒见长。

游程建议

夏日海滨之旅

青岛（前海栈桥、小青岛、鲁迅公园、青岛水族馆、海产博物馆）－崂山－青岛（汇泉海水浴场、中山公园品酒赏花）－烟台（福建会馆、毓璜顶、养马岛）－蓬莱（蓬莱水城、蓬莱阁）－长岛（月牙湾）－威海（刘公岛、温泉浴、荣城天尽头、昆嵛山旅游区）。

山东风情游

泰安（泰山、岱庙）－曲阜（孔府、孔庙、孔林）－济南（大明湖、千佛山、趵突泉）－青岛（八大关、栈桥、海滨浴场、崂山）

节庆指南

赶山会	农历九月九日	济南市千佛山	登高，山货及民间工艺品展卖
荷花节	农历七月三十日	济南市大明湖	佛事活动
国际登山节	9月中旬	泰安市泰山	登山活动
泰山仲秋赏月会	农历八月十五	泰安市泰山	举行仿宋代泰山封禅大典、西王母朝圣、岱顶赏月诗歌会
孔子文化节	9月28日	曲阜市	仿古祭孔乐舞，孔府珍贵文物展，孔子故里民俗游等
国际风筝会	4月初	潍坊市	风筝放飞
青岛啤酒节	6月底7月初	青岛市	比赛喝啤酒速度、饮酒技巧、开启啤酒瓶
国际葡萄酒节	9月	烟台市	介绍葡萄酒文化知识，仲秋夜花灯会

泉城济南

济南是山东省省会,是一座已有2600多年历史的文化名城。据史书记载,济南有名泉72眼,故又称"泉城"。济南是一座美丽的城市,在市内和市郊有很多名胜古迹,游人可以在济南游览千佛山、大明湖、趵突泉、灵岩寺等名胜。

趵突泉

趵突泉位于济南趵突泉公园内,是济南七十二名泉之冠,也是我国北方最著名的大泉之一。趵突泉泉水清澈甘冽,清乾隆帝封它为"天下第一泉"。泉池近似方形,泉水于池中分三段,昼夜喷涌,冬夏如一,"趵突腾空",蔚为奇观,历代文人墨客,在此流下许多赞美的诗篇。

灵岩寺

灵岩寺位于济南市南面的长清县,为中国四大名刹之一(另三大名刹为浙江天台国清寺、湖北江陵玉泉寺及南京栖霞寺),相传前秦苻坚永兴年间,郎公和尚来此说法,"猛兽归伏,乱石点头",故称"灵岩"。该寺兴于北魏,盛于唐宋,最盛时有僧侣500多人,殿阁40余处,禅房500多间。

千佛殿为该寺主体建筑,殿内正中有巨佛3尊,四周为40尊木雕小佛,塑工精细,口目传神,被誉为"海内第一名塑"。

灵岩寺内的辟支塔位于千佛殿西北部的丛林中。

灵岩寺彩塑罗汉

墓塔林在灵岩寺西,是埋葬灵岩寺自唐至清历代住持高僧的墓塔集中地,共167座。其塔造型优美,风格各异。济公禅师的墓地也在其中。

千佛山

千佛山在济南市南约3公里处，古名历山，相传是虞舜躬耕之地，故又名"舜耕山"。隋唐之际，山东佛教昌盛，历山山壁上凿满了佛像，遂称千佛山。千佛山主峰海拔285米，远不及泰山雄伟，却以古朴清雅见胜。

千佛山山门额书"千佛山"三字，两侧楹联为："暮鼓晨钟惊醒世间名利客，经声佛号唤回苦海梦迷人。"

千佛山佛像

千佛山上的兴国寺，始建于唐，现存建筑为明代重建。殿宇楼台，逶迤于山腰之际，错落有致；绿瓦红墙，隐现于丹枫青松之间，古趣盎然。

大明湖

济南的众多泉水，大部分流向城北，汇成了一个大湖，这就是名闻四方的大明湖。大明湖北岸的小沧浪亭西洞门的两旁，挂着清代大书法家铁保书写的一副对联："四面荷花三面柳，一城山色半城湖。"这副对联道出了济南柳、荷、湖、山辉映一体的独特风貌。

如今的大明湖已开辟为公园，园中还有历下亭、铁公祠、小沧浪亭、辛弃疾纪念祠等景点。

千佛山的千佛崖上，数十尊佛像散落于藤萝苔蔓之间，全为隋唐时代的雕像，神态灵活，刻工精湛。

东岳泰山

东岳泰山位于山东省泰安市城北,海拔1524米,低于五岳中的华山和恒山,高度居五岳第三位,但自古便称为"五岳独尊"、"五岳独宗"、"五岳之首"等,这主要是因为它雄踞东方,而东方是太阳升起的地方,是万物交替、初春发生之地,极受古人崇拜,也正是因为这样,古代许多封建帝王都来泰山封禅,借助泰山来巩固自己的统治,从而也提高了泰山的知名度及其在人们心目中的地位。

岱庙

岱庙,亦称泰庙,是祭祀泰山神东岳大帝的地方,俗称东岳庙,也是历史上历代帝王祭祀泰山神和举行封禅大典的地方。

据史料记载,岱庙在秦朝时就已作为祭祀祖先的庙宇,距今已有2000多年的历史。它的建筑规格是仿照古代帝王宫殿的式样。中国现有三大宫殿式建筑分别是:北京故宫太和殿,泰安岱庙,曲阜孔庙大成殿。

天贶殿是岱庙的主殿,富丽堂皇,殿内东、西、北三面墙壁上画有一幅巨画《泰山神启跸回銮图》,东面的叫做"启跸",西面的叫做"回銮",传为宋代作品,是宋真宗用泰山神出巡的形式,来炫耀天子威严的真实写照。壁画上的人物形态各异,栩栩如生,是不可多得的杰作。

岱庙坊

天贶殿内的《泰山神启跸回銮图》壁画

泰山刻石

岱庙东御院内的泰山刻石,亦称《秦刻石》。此石系秦二世元年(前209年)胡亥诏书,由丞相李斯用篆书书写,镌刻而成。原有222字,现尚可读146字。碑石四面环刻,三面是秦始皇的功德铭,一面是秦二世的诏书。

鲁迅先生对《秦刻石》赞曰:"质而能壮,实汉晋碑铭所从出也。"

经石峪

在泰山斗母宫东北的山峪中，大片石坪上刻着金刚经文，原有2500余字，经1400余年的风雨剥蚀，尚存1067字，字径50厘米，篆隶兼备，书法刚健质朴，雄奇壮观，系北齐人所书。康有为推崇它为"榜书之宗"。

1961年郭沫若论定经石峪上的文字为北齐时人所书。

十八盘

十八盘是登泰山最艰苦的一段行程，从对松山至南天门，约1公里，盘道两旁，山峰耸入云霄，如壁直立，东为飞龙岩，西为翔凤岭，南天门之下就是摩天云梯，俗称十八盘。云梯中间有一石坊，叫"升仙坊"。这架云梯，高挂天门，矗立于悬崖之间，化天险为通途，使游人得以攀登而上，直达天门。

中天门

中天门，又称二天门，因土质赤黄，又称黄岘岭。它位于泰山半山腰，清代建有中天门石坊，是东西两路登山会合点。由此北望岱顶，云梯高悬；南瞰汶河，缥缈如带；中溪山雄峙于东，凤凰岭蜿蜒于西，另有一番景象。

南天门

南天门，原称天门关，最早建在碧霞祠西南方的老盘道上端。唐朝大诗人李白诗中"朝饮王母泉，暮投天门关"，就是指的原来的天门关，后来被大水冲走。元朝中统五年，开辟新盘道，修建了南天门，又称三天门。

南天门为泰山十八盘的尽头

碧霞祠

碧霞祠，是祭祀碧霞元君的地方，宋真宗东封泰山时所建，是岱顶上一处宏伟的古建筑群。祠分前后两院，山门内正殿五间，上面的盖瓦、鸱吻、檐铃均为铜铸，有瓦360垄，按周天360度，象征着一年360天之数。左右配殿和山门的盖瓦都是铁铸。

碧霞祠

建国后，《纪泰山铭》碑文被贴金保护，使得此碑更为壮观。

唐摩崖刻石

唐摩崖刻石，是指泰山岱顶大观峰上的唐玄宗《纪泰山铭》，此碑高13.3米、宽5.3米，共1000字，为唐开元十四年（726年）刻制。该碑碑身雄伟，篇幅巨大，号为石刻之冠，书法遒劲，端严雄浑，是学习和研究唐代隶书的珍品，也是历代皇帝封禅泰山记事中，保留得最完好的一篇纪实铭文。

泰山瞻鲁台位于泰山日观峰南。古时在此可南望鲁国，故而得名。

五岳独尊刻石

- 由于泰山比较高，坡度陡，登山较吃力，通常上下山要七、八个小时，所以要计算好登山路线。游泰山，可以乘车至中天门，再登山至泰山顶，约需3个小时。中天门至南天门已开设索道，年老体弱者可以乘索道。下山时可从中天门走壶天阁、经石峪、红门宫等处，然后乘汽车返回市内。
- 泰山夏季十分凉爽，登山要带上雨具。秋季天高气爽，能见度好，是登山观日出的最佳季节。
- 游人登山最好穿球鞋或登山鞋，并准备好拐杖。

玉皇顶

　　玉皇顶，又称天柱峰，是泰山的主峰。顶上有玉皇庙一座，正殿内有玉皇大帝铜像，殿东观日亭，可观旭日东升；殿西望河亭，日落时可望黄河的波光闪闪。

曲阜三孔

山东省曲阜市是我国历史文化名城之一，是我国历史上伟大的思想家、教育家、儒家创始人孔子的故乡。这里有着丰富的文化遗产，其中最著名的是曲阜"三孔"——孔府、孔庙、孔林。

孔子曾在这个杏树围绕的地方讲学，后人在此建亭植杏，纪念这位伟大的教育家。

孔府

孔府旧称"衍圣公府"，是孔子后裔的官署和邸宅，占地约16公顷，有厅、堂、楼、轩等各式建筑463间，分为中、东、西三路，东路为家庙，西路为客厅院，中路分前后两部分，前为官衙，衙内

孔府内景

设三堂六厅，后为内宅，最后是孔府花园。孔府内所藏历史文物十分丰富，其中最著名的为"商周十器"，原为宫廷所藏青铜礼器，乾隆三十六年（1771年）赏赐孔府。此外还有近万卷元、明、清文书档案，及历代名人字画、金石、陶瓷、竹木、牙雕及珍珠、玛瑙、珊瑚等古玩和文物，并有元、明、清各代、各式衣冠靴履100多箱、近万件，均有极高的研究和观赏价值。

大成殿是孔庙的主体建筑，是当年祭孔的正殿。大成殿前檐并立10根深浮雕石柱。每柱有双龙戏珠，相对回舞盘旋升腾，柱身衬缀山海浮云与波涛，造型优美生动。

孔庙

孔庙是历代祭祀孔子的庙宇。其建筑规模宏大，雄伟壮丽。庙内共有九进院落，以南北为中轴，分左、中、右三路，纵长630米，横宽140米，有门坊54座，殿、堂、院、亭、庑、阁466间，总面积21.6公顷。孔庙中以奎文阁、十三碑亭、杏坛、大成殿及其两庑的历代碑刻最为著称。大成殿为孔庙的主殿，殿内正中奉祀孔子塑像，两旁为四配和十二哲的塑像。东西庑廊原供孔子弟子及儒家历代先贤。故宅井后的"鲁壁"为秦始皇焚书坑儒时，孔子第九代孙孔鲋收藏《尚书》、《礼记》、《论语》、《孝经》等儒家经典的夹墙，是人们为纪念孔鲋保护古代文化的功绩而修建的。

孔林

　　孔林是孔子及其后代的墓园，位于曲阜城北，占地达200多公顷。这里埋藏着2000多年前逝世的孔子及其子、孙、曾孙……一直到1919年去世的第76代孙"衍圣公"孔令贻。园内古木森森，林下墓冢累累，碑碣林立，石仪成队。孔林内的楷亭、驻跸亭，是皇帝来此祭祀时休息的地方。

专家指点

● 曲阜旅游景点除"三孔"外，还有颜庙（孔子学生颜回的庙宇）、周公庙（祭祀周公的庙宇）和少昊陵（传说中五帝之一少昊的墓）。

● 曲阜离泰安市较近，可就近去泰山游览。

孔子墓在孔林中部，其右侧有孔子之子孔鲤墓，左侧有孔子之孙孔伋墓。这种墓葬的布局叫做"携子抱孙"。

孔子（公元前551~公元前479年）名丘，字仲尼，是中国春秋末期的伟大思想家、政治家和教育家，儒家学说的创始人。孔子逝世后次年，鲁哀公把他的故宅改建为庙以作纪念。

孔子及其后代的陵园——孔林

海岛明珠青岛

青岛位于山东省东部，南滨黄海，西临胶州湾，是著名的海滨城市。这里空气清新，气候温和，全年平均气温12.2℃，八月份最高气温28℃。青岛是一座美丽的城市，也是理想的避暑胜地。

青岛濒临大海，风景怡人，环境清寂。

栈桥

栈桥坐落在青岛市南部的青岛湾，是青岛市的象征。栈桥始建于1891年，原为一座木桥，1931年改建为钢筋混凝土结构。栈桥长为440米，宽10米，北段与陆地相连，南段伸入海中。

南段尽头处的防波堤上建有一座双层八角亭，名为回澜阁。凭窗远眺，千里澄碧，波澜壮阔，诸岛隐现于云海之间，尤如海上仙山。栈桥东南海面的小青岛，又名"琴岛"，中间有长堤与陆地相连。小青岛上耸立着的灯塔，则是航行的标志。

青岛历史上曾是德国租借地。如今青岛城内仍保存有当时修建的教堂。

崂山道观

崂山自古便是道教圣地，现今香火最盛的两座道观为太清宫和上清宫。

太清宫又称下清宫、下官，在崂山东南蟠桃峰下，崂山湾畔。它创建于西汉建元元年（前140年），现存三官殿、三清殿、三皇殿三院。宫中奇花异卉，四时不绝。耐冬花开，红艳如火；汉柏、唐榆、宋银杏均历经风霜，至今仍翠绿葱青。凌霄花盘绕汉柏而上，蜿蜒如龙蛇，名曰"古柏盘龙"。三清殿前碧水一泓，宫中道士名之为神水泉，大旱之年亦不涸竭。

太清宫的神水泉以及由数股泉水汇集形成的潮音瀑。这些泉和瀑的水就是享誉中外的崂山矿泉水。

上清宫又称上官。在崂山东南部、太清宫西北。此宫原在山上，名崂山庙，据传汉代郑康成曾设帐授徒于此。宋初改建，太宗赐名上清，后被山洪冲毁。元大德年间（1297～1307年）华山派道士李志明重建于今址，历代均有增修。宫观四周群山环抱，水木清翠，环境绝幽。宫前银杏、牡丹均为数百年古物。

青岛老人石

老人石兀立在青岛近海，其色泽斑红，石骨嶙峋，形状很像一个清瘦老人，故名"老人石"。隔远望去，好像有个不屈不挠的老人，努力抗拒海浪的冲击，令人肃然起敬。

蓬莱仙境

蓬莱位于山东半岛的最北端，海岸线全长172.5公里，是山东半岛著名的游览胜地。自古以来，人们把蓬莱描写成神仙境界。早在2000年前，秦始皇、汉武帝都曾来此求仙觅药。民间传说吕洞宾在这里修道成仙；八仙从这里过海，各显神通。史实加传说，给蓬莱披上了一层神奇瑰丽的色彩。

蓬莱水城鸟瞰

蓬莱水城

蓬莱水城位于蓬莱市城北丹崖山东麓。北宋庆历二年（1042年），为防御契丹在此设"刀鱼寨"。明洪武九年（1376年）为防御倭寇侵扰，于"刀鱼寨"旧址修筑水城，称"备倭城"，明万历二十四年（1596年）整修扩建形成今日规模。

水城为土、石、砖混合结构，沿丹崖绝壁向南构筑，蓬莱阁即坐落在水城西北角城垣之内。水城呈长方形，周长2.2公里，出于军事需要，水城仅开二门，南为振阳门，与陆路相联，北为水门，由此出海。小海居城正中，呈窄长形，南北长655米，用于停泊舰船、操练水师。整个水城由小海、水门、城墙、炮台、空心台、码头、灯楼、平浪台、防浪坝等部分组成，负山扼海，进可攻退可守，是我国现存古代海军基地之一，在我国海港建筑史上占有重要地位。

蓬莱水城中的蓬莱阁高居山巅，下临大海，水气弥漫，云烟袅绕，形成虚无缥缈的气氛，故素有"仙境"之称。古代传说蓬莱、方丈、瀛洲为海上三仙山。

成山头

成山头为胶东半岛海滨风景名胜区的一部分，又名"天尽头"，有"中国好望角"之称，位于胶东半岛最东端。这里三面环海，一面接陆，群峰苍翠连绵，大海浩瀚碧蓝，峭壁巍然，巨浪飞雪，气势恢宏万千，自古就是著名的旅游胜地。

据史书记载，秦始皇曾两次驾临此地，拜祀日主，求寻长生不老之药，留下了"秦桥遗迹"、"秦代立石"、"射鲛台"、"始皇庙"及李斯手书"天尽头秦东门"等古迹。

成山头山石陡峭，水流回旋湍急。此处又是国际航道，既可看到万吨巨轮乘风破浪，又可观赏渔帆点点。附近还有鸡鸣岛、鸟岛，是海鸟的乐园。

专家指点

- 威海市是一座海滨花园城市，这里不仅风光优美，城市建筑也造型各异。威海街头塑像很多，有独特的情趣。
- 威海市主要旅游景点有刘公岛（岛上建有甲午战争纪念馆）、环翠楼。

山　西

"人说山西好风光"，这句耳熟的民歌道出了人们对山西的向往。地处中原的山西透着平实古朴的历史气息，境内有国家级和省级文物单位上千处。千年风华的云冈石窟记录了佛教的几度繁盛；古韵古香的平遥古城存留着晋商的曾经辉煌；悬空寺是建筑史上的奇迹；九龙壁则是雕塑史上的一座丰碑。山西境内佛寺众多，仅大同市的佛寺就占全国寺院的1/3以上。这是因为笃信佛教的南北朝时期，山西是多个政权的政治中心。统治阶层的偏好给后人留下了一片辉煌灿烂的文化遗迹。当然，除了众多的佛寺，美丽的难老泉和幽静的五台山也是值得一游的好去处。

山西旅游指南

景点推荐

晋祠	太原市西南悬瓮山下
双塔寺	太原市东南郊
玄中寺	交城县西北
乔家大院	距祁县县城15公里的乔家堡村
双林寺	平遥城西南7公里处
黄河壶口瀑布风景区	吉县县城西北45公里处
绵山风景区	介休县城东南20公里处
平遥古城	距太原市90公里
丁村遗址	襄汾县城南4公里处
尧庙	临汾市南4公里处
洪洞大槐树	洪洞县城的古槐公园内
恒山风景区	浑源县城南5公里
悬空寺	浑源县城南5公里
云冈石窟	大同市区西16公里处的武周山
九龙壁	大同市区东街路南
应县木塔	大同市南70公里应县城佛宫寺内
华严寺	大同市区中心
五台山风景区	忻州地区东北隅

文化与艺术

祁县民俗博物馆	太原地区祁县乔家大院内
丁村民俗博物馆	临汾地区襄汾县城南5公里
中国票号博物馆	平遥县城内西大街38号
定襄河边民俗馆	定襄县

休闲娱乐

黄河漂流	临汾市
大同滑翔基地	大同市
五台山佛教音乐	五台山

旅游购物

太原地区：清徐葡萄、老陈醋、杏花汾酒、竹叶青、平遥牛肉、太谷饼、太原刀剪

大同地区：黄芪、黄花

五台山地区：台蘑、台党参、同川梨、繁峙黄芪

特色餐饮

清和元饭店	特色：以经营"头脑"、"杂割"等地方传统名吃为主	太原市桥头街
林香斋饭店	特色：以传统豫菜为主	太原解放路中段
六味斋酱肉店	特色：以生产酱肉为主	太原桥头街西口
晋阳饭店	特色：以经营地方风味为主	太原五一广场
太原面食店	特色：山西传统面食	太原市解放路与迎泽大街路口

山西传统面食：拉面、刀削面、刀拔面、烧麦、猫耳朵、莜面窝窝

晋菜传统名菜：糖醋鱼、锅烧羊肉、拔丝山药、铁碗烤蛋、腐乳肉

游程建议

恒山山水文化游

大同（云冈石窟）－恒山风景区（悬空寺、云阁虹桥、虎风口、北岳庙、极顶）－浑源县城（应县木塔）

吕梁之旅

太原－交城（卦山、天宁寺、玄中寺、庞泉沟）－方山县（北武当山）－离石（白马仙洞、西华镇高原牧场、安国寺）－孝义（皮影木偶博物馆）－汾阳（杏花村酒厂、郭子仪纪念馆）－文水（刘胡兰纪念馆、武则天庙）

太原史话

山西省省会太原，是一座古老的城市，古称"晋阳"。太原城早在春秋时就已创建，距今已有2400多年的历史。今日的太原城内保存着不少名胜古迹，市内有崇善寺、纯阳宫，城东南有双塔寺，城西南有晋祠和天龙山石窟，城西北有兰村窦大夫祠、多福寺等。

晋祠

晋祠位于太原市西南悬瓮山麓，创建年代已不可考。据《水经注》所载，晋祠本名唐叔虞祠，相传为纪念周武王次子叔虞而建。经过历代多次修葺扩建，整个晋祠古树浓荫蔽天，碧水滢洄有声，佛堂辉煌，殿楼巍峨。李白咏晋祠赞叹说："晋祠流水如碧玉，百尺清潭泻翠娥。"

北宋时在晋祠内修建了规模宏大的圣母殿。殿内42尊侍女形象生动，与晋祠内老而不衰的周柏、隋槐及长流不息的难老泉合称为"晋祠三绝"。

玄中寺

玄中寺又名永宁禅寺、石壁寺，位于山西交城县县城西北10公里的石壁山中，距太原70公里。寺庙占地面积6000平方米。

玄中寺地处幽境，坐北向南，依地形起伏层层叠起，宛若重楼。它背倚石壁山，由南向北顺次排列着前、中、后三进院落。天王殿、七佛殿、千佛阁坐落在三所院落的中轴线上，层次分明，气势不凡。

晋祠的源流

晋祠的创建年代无从稽考。据有关晋祠最早文献《水经注》记载："沼西际山枕水，有唐叔虞祠。水侧有凉堂，结飞梁于水上。左右杂树交荫，希见曦景……于晋川之中最为胜处。"可见，早在1500多年前，晋祠就已蔚成大观，誉满天下了。北魏之后，经历代扩建从而形成了今天的规模。

玄中寺内保存了大量艺术价值极高的珍贵文物。

三晋名泉

晋水源头位于晋祠内,共有三泉。鱼沼泉和善利泉时流时枯,难老泉则长流不竭,泉水自地下约5米的岩石中涌出,平均流量约每秒1.8立方米,常年水温保持在17℃,清澈见底。泉名取自诗经名句"永锡难老"。

晋祠圣母殿南侧的"难老泉"水流淙淙,畅涌不断。北齐时,取诗经中"永锡难老"含义命名为"难老泉"。

双塔寺

双塔寺原名永祚寺,位于太原市东南郊。因寺内双塔耸立,独具特色,人们便把它作为太原的标志。

双塔南北对峙,并肩而立,既给人以统一匀称之感,又各显其特色。北塔全用素砖砌筑,雕饰清丽,无论遥望近观,都显得豪放壮实,雄伟壮美。南塔琉璃剪边,色彩绚丽,较北塔轮廓更为秀美。沿塔内青石阶梯盘旋而上,放眼望去,太原风光历历在目。

晋祠泉水所流经的地方,灌溉稻田万顷,因此,当地有民谣说:"百盘连夜转,吃喝不靠天;生在晋祠下,不知有旱年。"

乔家大院

乔家大院位于距祁县县城15公里的乔家堡村正中，离太原市区不远，始建于乾隆二十年（1755年），其主人是清中期山西著名大商人乔致庸。乔家自乔致庸的祖父乔贵发在包头经商发迹，至乔致庸一代盛极，商号名"在中堂"，主要经营粮、茶、钱、当四大行，号称"汇通天下"，资产超过白银1000万两。1926年后官办银行出现，"在中堂"业务日衰。

大院中的烟囱造型各不相同

大院建筑上的斗拱

北方居民的典型建筑

乔家大院占地8724.8平方米，共有6个大院，19个小院，房屋313间，是一组封闭式建筑，整体体现清代北方民居的建筑风格。宅第大门坐西朝东，高大顶楼正中悬有蓝底金字匾额，上书"福种琅环"，这匾是当年山西巡抚赠送的。与大门相对的是砖雕百寿图照壁。照壁两侧，有清末军机大臣左宗棠的篆书对联"损人欲以复天理；蓄道德而能文章"，显示了"在中堂"的不同凡响。

入大门，北面有三个大院，均为三进院，是祁县境内典型的"里五外三穿心楼院"，南北正房，东西厢房均为五间。外院东西厢房均为三间。里外院之间，有穿心厅相连。南面三个大院都是二进四合院，进门为台阶式门楼。南北六院，院中有院，各不相同。

俯视小院景色

大门对面照壁上的"百寿图"。上面刻有100个形态各异的篆书"寿"字，据说这100个寿字包括宇宙间100个与人的寿命有关的事物。

祁县民俗博物馆

乔家大院自1986年起被开辟为"祁县民俗博物馆"，以时序节令、供奉祭祀、婚丧嫁娶、元霄社火等为顺序，系统具体地介绍了清末民初晋中平川一带的风俗民情，并有服饰、陶瓷、木器、工艺、字画等专题陈列室。

砖雕工艺最常见于民宅的屋顶檐下。精美的砖雕有着丰富的民俗意蕴，内容也多为"天官赐福"、"招财进宝"、"麒麟送子"等。

精湛的建筑艺术

乔家大院之所以远近闻名，不仅在于它高大壮观，更重要的是因为它那精湛的建筑艺术。从大院的形式看，有四合院、穿心院、偏正套院、过庭院。从房顶造型看，有悬山顶、歇山顶、硬山顶、卷棚顶以及平房顶。

乔家大院中所有院落都是正偏结构。正院为主人居住，偏院是客房、佣仆住室及厨房。

布老虎是最普通的民间玩具，人们往往取其"虎虎有生气"之意。

平遥古城

　　平遥，位于山西省中部，距太原市南约90公里处。城区总面积为4.2平方公里。

　　平遥整座城市中少有新建的现代楼宇，基本保持着明、清时代的城市格局和风貌。自清代中叶以后，平遥出现了不少以经营票号业发迹的富商，他们建造了许多高大华丽的深宅大院，至今保存完好的尚有几十幢。

城内居民住的多是旧式祖居，砖墙瓦顶，四合院落，且多窑洞式房舍，拱顶券门，木窗精巧，临街的宅门多建有装饰繁华的门楼。

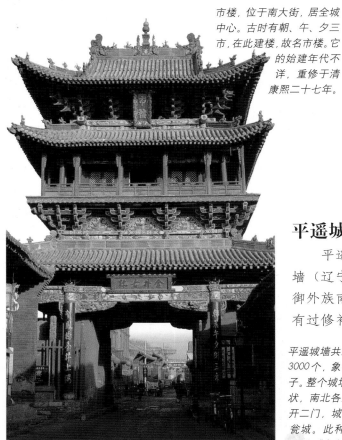

市楼，位于南大街，居全城中心。古时有朝、午、夕三市，在此建楼，故名市楼。它的始建年代不详，重修于清康熙二十七年。

中国第一票号

位于平遥县城内西大街38号的"日升昌"旧址，是中国第一家票号。中国票号博物馆就设在这里。

票号是近代中国专营银两汇兑、存放款业务的私人金融机构。平遥"日升昌"由晋商雷履泰创建，于道光四年（1824年）正式挂牌营业，并在全国设有100多个分号。"日升昌"票号创立后，祁县、太谷及南方等商号大贾竞相仿效设立，山西跃为清朝时的金融中心。清末，"日升昌"日渐衰退。

平遥城墙

　　平遥城墙位于平遥县境西北，是我国现存完好的四座古城墙（辽宁省兴城、湖北省荆州、福建省崇武）之一。明代为防御外族南扰，在旧城垣基础上重筑扩建。明嘉靖、万历年间又有过修补，基本上保持了明洪武三年的形式和结构。

平遥城墙共筑有小敌楼72个，城垛、垛口3000个，象征孔子的72贤人和3000弟子。整个城墙呈方形，南面呈弯曲状，南北各开一门，东西各开二门，城门外均筑有瓮城。此种构城形制，人称"乌龟城"。

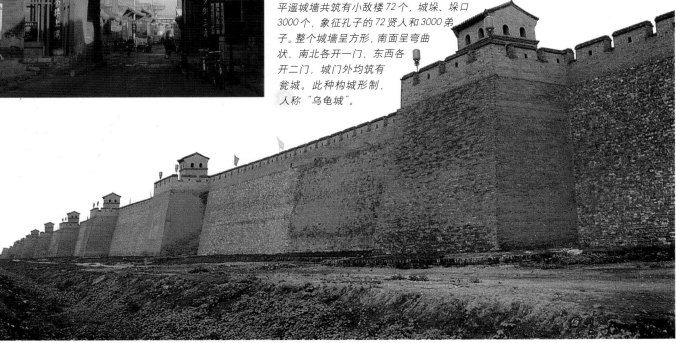

双林寺菩萨殿内布满了数百尊悬塑菩萨。端居中央的千手观音，头戴龛形额子宝冠，上身半裸，饰满了缨珞饰带，衣带随体下垂。26只手臂上各带钏镯，塑工精湛，为难得的泥塑佳作。

双林寺自在观音

双林寺

双林寺原名中都寺，位于古城西南7公里处的桥头村北侧，创建于北魏早期，重建于北齐武平二年（571年）。现存殿宇多为重修后的明清建筑。寺院规模宏大，仿照城堡式筑门构墙，坐北朝南，修建在3米高的土台上，占地面积为6200多平方米。

殿宇内有宋、元、明、清大小彩塑2052尊，其中十八罗汉塑造于宋，是双林寺彩塑艺术的精品。彩塑中以金刚、菩萨、罗汉、观音、供养人等的塑工最精致。双林寺内彩塑林立，俨然是一座精美的艺术博物馆。

"双林"之说
"双林"是取义于"双林入灭"之典。据佛经记载，释迦牟尼在古天竺拘尸那城跋提河边的沙罗双树之间涅槃，圆寂时四周的双树白花顿开。

镇国寺

镇国寺位于古城东北约15公里的郝洞村。创建于五代时。明、清时，寺庙倾颓，至嘉庆二十年（1815年）始重修万佛殿，并保持了原来的风格。寺内分前后两院，布局整齐、端庄、古朴。山门天王殿内塑有4尊天王。殿两侧，左右钟鼓二楼对峙。前院居中为万佛殿，造型独特，平面近正方形，殿顶单檐歇山式，形如伞状，在历代寺庙建筑中颇为罕见，是现存五代时期惟一的木结构建筑。

大同古迹

大同原叫平城，曾是北魏的都城，孝文帝迁都洛阳前一直是北魏政治、经济、军事、文化中心，云冈石窟就开凿于北魏时期。大同之名始于辽代。辽金两代，它作为陪都达200多年。由于统治者崇仰佛教，营建了一大批宗教建筑物，很多保存至今，成为大同的一大特色。

雁门关

雁门关又名西陉关，在山西代县西北20公里的雁门山腰，与宁武关、偏头关合称太原府外三关。相传每年春暖花开时节，南雁北飞，口衔芦叶，飞到雁门，盘旋于关隘之上，直到芦叶凋零方才过关，故有"雁门山者，雁飞出其间"的说法。

雁门关周长1公里，高6米，门三重，关门内有战国时赵国良将李牧祠旧址，尚有碑石数块。现关城为明洪武七年所建。

九龙壁

九龙壁位于大同城内东街路南，面对街头闹市。

九龙壁建于明洪武二十五年（1392年），是明朝第一位皇帝朱元璋第十三子朱桂代王府前的琉璃照壁。九龙壁长45.5米，高8米，厚2.02米，为中国现存最大的一座九龙壁。壁身两侧的日月图案，由426块五彩琉璃构件拼砌而成，九条龙以飞腾之势，跃然在壁上，构成一幅生动的画面。

华严寺

华严寺位于大同市西南隅，因属于佛教华严宗的寺庙而得名。华严寺分为上华严寺、下华严寺两处，两寺都建在一个大院落里。

大雄宝殿（上华严寺）创建于辽清宁八年（1062年），辽末毁于战火。金天眷三年（1140年）重建。这座殿宇长达53.75米，宽29米，面积1559平方米，是中国现存的两座最大的殿宇之一（另一座是辽宁义县奉国寺大殿）。大雄宝殿坐西面东，据说这与当时契丹族崇拜太阳的"信鬼拜日"习俗有关。

大雄宝殿殿内正中主佛五尊，人称五方（东南西北中）佛，各统治一方。中间三尊为木雕，左右两尊为泥塑。

华严寺大雄宝殿内的墙壁上绘满了巨幅壁画，系清代光绪年间所绘。

华严寺的鼎盛时期

辽代诸帝都信奉佛法，尤其是辽道宗更为突出。他在位期间，华严宗极为兴盛，于清宁八年兴建华严寺。它不仅是宗教寺院，还是皇室祖庙，因此其规模尤为壮观宏伟。

云冈石窟

云冈石窟坐落在山西大同市城西16公里的武周山北崖，依山开凿，东西连绵达1公里，与甘肃的敦煌石窟和河南洛阳的龙门石窟并称中国三大石窟。石窟里供奉的佛、菩萨、比丘、天王、力士等造像，在敦煌是泥塑，在龙门和云冈则是石刻。石窟艺术是建筑、雕塑、绘画等艺术的综合体，在中国具有悠久的发展历史。云冈石窟特别以造型美丽雄伟著称，是一座旷世无匹的艺术宝藏。

北魏一朝60余年，就在云冈东西延绵崖面上留下了45窟大中型石窟和1000多个尚未编号的小窟龛，大小造像51000多座，其规模宏大、景色壮美，早在同时代就为人称道。

昙曜五窟

中部的昙曜五窟，即第十六至第二十窟，开凿最早，面积和气魄也最大，纯以造像为主。每窟各有一尊"雕饰奇伟，冠于一世"的大佛，高13米以上，尤以第十八窟中的最为雄伟。

云冈石窟可分为东、中、西三部分。东部的石窟多以造塔为主，因此又称为塔洞，塔型变化万千，玲珑奇巧。西部石窟群的开凿时代较晚，大多是公元495年后的作品。佛像造型瘦骨清癯，藻井中的飞天俊逸潇洒，表现出佛教艺术从印度渐趋中国化的痕迹。

云冈露天大佛

在云冈石窟中部西隅。编号第二十窟。窟前立壁在辽代前塌毁，造像露天。主像为释迦坐像，高13.7米，胸以上因石质坚硬，保存完好，两肩宽厚，袈裟右袒、面形丰圆，薄唇高鼻，神情肃穆。背光的火焰纹和坐佛、飞天等浮雕十分华美，把主佛衬托得更加刚健雄浑，为云冈石窟中的代表作品。

第十三窟正中，雕有交脚弥勒菩萨一尊，高13米，其右臂与腿间有一个四臂的托臂力士，造型奇特，是云冈石刻中仅有的一例。

云冈石窟的渊源

云冈石窟的始凿年份，据说是在北魏兴安二年(453年)，由昙曜法师主持，在当日京城恒安（今大同）的西部开凿，已有1500多年的历史。《水经注·漯水》中提到云冈石窟时说：″凿石开山，因岩结构，真容巨状，世法所希。山堂水殿，烟寺相望，林渊绵镜，缀目新眺。″可见当时的壮观景象。后世曾多次修缮，并增建佛寺，规模以在辽金两代为最大。现在云冈共有石窟53窟，造像达51000余尊之多。

五华洞

云冈石窟第九至第十三窟，合称云冈五华洞，因清代施以绚烂的彩绘而得名。第九、第十窟是一组；第十一至第十三窟是另一组；内有造像铭、植物花纹、仿木构殿宇、伎乐天等精致雕刻。窟内伎乐天手持的排箫、笙簧、琵琶、笛、鼓等，都是研究中国古代乐器的重要参考资料。

天下奇观

山西有许多独一无二的景观，悬于半山千年不倒的悬空寺，经900年风雨而依然屹立的应县木塔……令人赞叹。

北岳恒山

恒山位于大同南约62公里，是海河支流桑干河与滹沱河的分水岭，恒山东西绵延250公里，号称有108峰，主峰高2016米，地处浑源县城南。恒山以道教闻名，古往今来，以奇险吸引着游人。相传中国古代神话中的道教八仙之一的张果老就是在恒山隐居潜修的。

恒山以自然景色的雄奇秀美而著称，恒山主峰分为天峰岭与翠屏岭。两峰各居东西，对峙而望。

天峰岭集中着恒山的诸多景观。停旨岭、虎风口、悬根松、紫芝峪、梳妆楼，都是自然景观中的奇迹。果老岭、姑嫂崖、飞石窟，苦甜井更因为伴随着瑰丽的传说而充满了神奇的色彩。

恒山与历代名人

据传，早在4000多年前，舜帝巡守四方，来到恒山，见山势险峻，峰奇壁立，遂封为北岳。秦始皇时，朝封天下12名山，恒山被封为天下第二山。后来的汉武帝、唐太宗都曾来这里巡视。历代名人学士，如唐代的李白、贾岛，元代的元好问，明代的徐霞客，都曾游览过这里。尤其是旅行家徐霞客游恒山之后，把所见所闻载入《徐霞客游记》，成为传世的游记名篇。

登上恒山极顶，"极目不知千里远，举头唯见万山低"。看那万峰南来，桑干北去，长城逶迤，山河壮丽，真是美不胜收。

应县木塔

应县木塔位于大同以南约70公里。它建在应县城佛宫寺的山门内,原名佛宫寺释迦塔,俗称应县木塔。

应县木塔建于辽清宁二年(1056年),它建在4米高的两层石砌台基上,顾名思义,木塔全部是用木建成的。木塔通高67.13米,底层直径为30米,平面为八角形,五层六檐。外观是五层,但是塔内夹有暗层四级,实为九层。塔内各层,使用了中国传统的斜撑、梁枋和短柱等建筑方法,使整个塔连成一个整体。

木塔自建造至今已有900多年历史,长期经受风雨侵蚀,并曾遭受军阀炮击以及多次强烈地震,虽有轻微倾斜,仍巍然屹立。应县木塔是中国建筑史上的一大奇迹,在世界建筑史上也是绝无仅有的。

古代应县地处辽、宋交界地区,双方争战激烈,宋代著名的杨家将曾在这一代屡立战功。为了仿效宋方在定州修建了望塔以监视敌方的做法,辽方在应县修建了这座高大的木塔。

悬空寺

悬空寺位于恒山脚下,在浑源县城南5公里的恒山主峰天峰岭与翠屏峰之间的金龙峡内西岩峭壁上。悬空寺建筑以惊险闻名,自古以来,这里一直被列为北岳恒山的第一奇观。

悬空寺建在翠屏峰东侧绝壁的半山腰,上载危崖,下临深谷,似悬挂半空,惊险万状,是中国罕有的高空古建筑。民谚有"悬空寺,半天高,三根马尾空中吊"的说法。悬空寺不仅奇在悬空,而且殿回楼转,一步一景,以建造别致、玲珑剔透著称。

悬空寺创建于北魏后期(约471~523年),已有1400多年历史。现存建筑是明、清两代修建后的遗物。悬空寺寺门朝南,整个建筑皆为木结构,共有大小殿阁40间,都是巧妙地利用力学原理,半插飞梁为基,巧借岩石暗托,背崖依龛,别出匠心。其中南北两座三层飞楼,高空对峙,争奇斗险,中间相隔数丈,架栈道相通。

悬空寺内共有各种铜铸、铁铸、石雕、泥塑像80尊。地处悬空寺最高层的三教殿内,释迦牟尼、老子、孔子的塑像共居一室。佛教、道教、儒教始祖同居一室,确不多见。

五台山

  五台山位于山西省东北部忻州地区的五台县境内,中心地区距太原市230公里,属恒山山脉,北望北岳恒山,西望代县雁门关,东北至西南走向,纵长100公里,周边250公里,由东南西北中五座环抱而立的峰顶组成,五座峰顶虽高却平,故名"五台"。其中北台峰顶海拔3058米,是华北地区最高的山峰。

  自南北朝以来的一千余年间,五台山陆续兴建了大量寺庙,成为一个古建筑群集中的名山,与浙江普陀山、四川峨眉山、安徽九华山并称我国的四大佛教名山。

五台山上的僧侣

> **专家指点**
>
> 五台山气候寒冷,虽与北京的纬度大致相同,但气候特征却和大兴安岭差不多。游人来五台山,宜多带些衣服,并带上雨伞。

台怀镇是五台山的中心地带。在五台山现存的40余座寺庙中,台怀镇就集中了10多座。所以一般人说去五台山,主要指的是台怀镇。

佛光寺

佛光寺坐落在五台县东北32公里佛光山，创建于北魏孝文帝时期，坐东向西，三面环山，西面则豁然开朗。

唐武宗会昌五年（854年）佛教遭禁，全寺被毁。宣宗继位后恢复佛教地位，857年重建佛光寺，历代续有修缮。

殿内的佛坛供奉35尊彩塑，都是唐代的作品。每个佛坛前都有一尊主像，两侧及前面各有胁侍和供养菩萨，并有侍者牵引狮象。另外还有金刚像。

殊像寺创建于元代，明代弘治和万历年间重修，与显通寺、塔院寺、菩萨顶、罗睺寺并称为五台山五大禅处，又为青庙十大寺之一。大殿内有文殊菩萨塑像，高约9.3米，如出神工，远近闻名。

佛光寺每个佛坛前的主像分别是释迦佛、弥勒佛、弥陀佛及普贤、文殊二菩萨。

金阁寺大雄宝殿内供奉的观音菩萨

金阁寺

金阁寺坐落在五台山南台西北岭附近，为五台山著名佛寺之一。770年，唐代宗李豫诏高僧赴五台山修功德，建立此寺，瓦为铜铸，上涂金，佛阁饰为璀璨的金阁，因而得名。寺的主体建筑是观音阁。

观音阁供奉以种种化身救众苦难的菩萨，阁身二层，内立身高17米的观音铜像，现由一层泥皮包藏。观音两侧有二十四诸天环侍，犹如仪仗。

临汾

临汾古称平阳，位于山西南部黄河中游，这里属黄河流域中原文化圈的中心地带，远在华夏文明的史前时期，这里就是中华民族先祖聚居之地，三晋文化的浑厚久远在这里得到了最充分的体现。

古槐公园入门处的照壁上写有一个很大的字——"根"。当年汉代种植的古槐已不存在，第二代古槐老枝已干枯，但树根处却又长出了新芽。

洪洞大槐树

洪洞大槐树位于洪洞县城西北2公里的古槐公园内，距临汾市约30公里。我国山西、河北、山东、河南、安徽等地农村，广泛流传着两句民谚："问我故乡在何处？山西洪洞大槐树。"大槐树成了洪洞的象征。

广胜寺

广胜寺位于临汾东北约45公里的霍山南麓，距洪洞县城17公里。广胜寺是中国古代著名的佛寺，规模宏大，分上下两寺，山上山下相距500米。上下寺中，保存有大量的泥塑、木雕、铜铸和铁铸佛像，这些塑像造型比例适度，体态优美多姿，艺术价值很高。

上寺创建于东汉建和元年（147年），唐代大历四年（769年）重建，改名为广胜寺，意即"广大于天，名胜于世"。上寺有山门、弥陀殿、大雄宝殿、观音殿、地藏殿及厢房、廊庑组成。

下寺由山门、前殿、垛墙组成。殿内山墙上残存的16平方米元代壁画，至今色泽鲜艳。

明代正德、嘉靖年间（1515～1527年）在上寺院中增建琉璃飞虹塔，呈八角形，13层，塔身高47米，光彩夺目，巍峨壮观，是国内最高大最华丽的琉璃塔。

尧庙

尧庙在临汾市南4公里处。相传尧帝建都平阳（今临汾），有功于民，后人建尧庙祭祀尧帝。尧庙始建于晋，现存为清代建筑，规模雄伟，布局疏朗，前有山门，碑列两侧，内有五凤楼、尧井亭、广运殿、寝宫等。庙东北40公里筑有尧陵，庙南3公里处存有"茅茨土阶"石刻。

丁村民俗博物馆

丁村民俗博物馆位于临汾南35公里，北距襄汾县城约4公里。这里有明清两代的民宅26座，全部建筑均保存完好。

尧庙内的尧井亭为六角形，亭中有一眼古井，相传这是尧帝和大臣们在远古洪荒年代为人类开凿的第一口水井。

丁村老宅门前都有守门的石狮

1985年，国家为了保护好这批古代居民建筑，在丁村创建了第一座汉民族民俗博物馆。

丁村中老宅的屋脊上雕刻着各种花卉图案和飞禽走兽，两端装饰着鸱尾。

丁村中的房子大多为高大宽敞的四合院，均由正房、东西厢房和南房组成，中间有一天井。布局与北京的四合院相同，但比北京的四合院高大，建筑也更讲究。房子的台阶、柱础、大梁、窗棂也有各种彩绘和雕塑。每座民居既是一件精美的艺术品，又是一件珍贵的文物。

河　　南

来河南旅游，在郑州可以参观包含仰韶文化、龙山文化在内的原始社会村落遗址，登上邙岭凭栏临风，可以观赏波澜壮观的黄河金涛；在嵩山旅游区，可以参观古朴的嵩阳书院、清幽的法王寺，号称"天下第一刹"的少林寺也坐落于此；在新郑轩辕黄帝故里，还可以凭吊许多与黄帝有关的名胜古迹。

奇山秀色、黄河上游、中州文化、民风民情，这就是河南旅游的精髓。

河南旅游指南

景点推荐

黄河游览区	郑州西北约30公里处
大河村遗址	郑州市北12公里处
郑州商代遗址	郑州市内
打虎亭汉墓	郑州西南6公里处
少林寺	登封县城西北13公里处
嵩阳书院	登封县城北嵩山南麓
观星台	登封县城东南约15公里的周公庙内
龙门石窟	洛阳城南13公里处
白马寺	洛阳城东10公里处
关林	洛阳市南
白居易墓	龙门石窟东山
宋陵	巩义市的西村、芝田镇附近
石窟寺	巩义市东北约9公里处
宋都一条街	开封市内
龙亭	开封市内西北
相国寺	开封市内
铁塔	开封市东北
繁塔	开封市南郊
中国翰园碑林	开封市西北龙亭湖畔
殷墟	安阳西北约两公里处的小屯村
鸡公山风景区	信阳市南约40公里
王屋山	济源市西北
仰韶遗址	渑池城北仰韶村
武侯祠	南阳市西南
医圣祠	南阳市东关

休闲娱乐

悬挂滑翔、伞翼滑翔	林县太行山脉的林虑山
矿泉水浴疗	三门峡市郊刘秀峰下

文化与艺术

洛阳民俗博物馆	洛阳市东关新街南头的潞泽会馆
古墓博物馆	洛阳市北郊景陵村的邙岭之巅
殷墟博物苑	安阳市
商城博物馆	偃师
虢国文化城	三门峡市
南阳汉画馆	南阳市郊宛城区卧龙岗上
汝窑瓷器博物馆	汝州市
黄帝博物馆	新郑市

特色餐饮

郑州

华豫川酒家	特色：豫川菜	郑州北二七路
越秀海鲜酒家	特色：海鲜	郑州金水大道

开封

宋代风味餐厅	特色：宋代风味	开封自由路开封宾馆
宋都宾馆餐厅	特色：豫菜	开封汴京路宋都宾馆

开封古楼广场夜市小吃：黄焖鱼、馄饨火烧夹羊肉、豆沫、胡辣汤、杏仁茶、八宝粥、冰糖红梨、花生糕、鸡血汤、炒凉粉、鲤鱼焙面、小笼包子、桶子鸡、道口烧鸡

南阳

阎天喜饺子、压蹄与蹄冻、博望锅魁、桐蛋

游程建议

孔子周游列国游

郑州（郑韩故城、宣圣台）－濮阳（孔悝城、子路坟）－卫辉（比干庙、击盘处）－卫辉市（百泉、孔庙）－商丘（夫子崖、书台、文雅台、檀树坑、孔子故里、归还祠）－淮阳（弦歌台、陈国故城）－上蔡（问津处、蔡国故城、厄庙厄台）－新蔡（孔子铜像、问津处）－信阳（子贡祠、书院、负函）－平顶山（长沮、桀溺墓、书台、圣井、问津村）－洛阳（王城公园、周公庙）

三国战略游

开封（曹植墓）－郑州（虎牢关古战场、官渡古战场）－许昌（汉魏故城、受禅台、毓秀台、八龙冢、春秋楼、灞陵桥、关帝庙）－南阳（卧龙岗、武侯祠、汉桑城、议事台、博望古战场）－洛阳（龙门伊阙、关林）

唐诗宋词碑刻游

郑州（黄河游览区）－开封（禹王台三贤祠、翰园碑林）－登封（少林寺碑林、嵩阳书院、石淙会饮处、中岳庙）－洛阳（千唐志、山园碑刻、白园）－三门峡（函谷关碑林）

寻根古迹游

洛阳（关林、王城公园、龙门石窟、白马寺）－安阳（殷墟、里城、岳飞庙）－卫辉（比干庙）－登封（夏阳城遗址、观星台、少林寺、中岳庙）－荥阳（郑氏宗祠）－淮阳（太昊陵、陈国故城、弦歌台）－新郑（黄帝故里、郑韩故城）－三门峡（荆山黄帝陵、太初宫）

文物考古游

郑州（参观省博物馆、大河村遗址、商城遗址，在专家指导下参加现场文物发掘）－开封（参观宋都御街、市博物馆）－洛阳（参观龙门石窟、市博物馆）－安阳（参观殷墟博物苑、文物发掘现场）－三门峡（虢国墓车马坑）

黄河风情游

三门峡（黄河游、黄河古栈道、虢国墓地车马坑、天井窑洞）－洛阳（豫西窑洞、龙门石窟、白马寺、古墓博物馆、民俗博物馆）－巩义市（民俗文化村）－郑州（黄河游览区、乘气垫船游黄河）－开封（宋都御街、铁塔、龙亭、相国寺）

北方陶瓷研究游

郑州（大河村遗址、河南省博物馆）－开封（官窑瓷研究所、开封市博物馆）－洛阳（陶瓷工业公司、洛阳市博物馆）－禹州（古钧窑遗址、神后镇）－汝州（汝瓷博物馆）

节庆指南

国际少林武术节	9月10日~15日	郑州	少林武术表演
牡丹花会	4月15日~25日	洛阳	观赏牡丹花
国际黄河旅游节	4月20日~22日	三门峡	游黄河景区,看中原民俗

旅游购物

洛阳：唐三彩、宫灯、仿青铜制品

开封：汴绣、汴绸、朱仙镇年画、汴梁西瓜、中华猕猴桃、酱红萝卜、红薯泥

南阳：玉雕、烙花、中国养生酒

黄河文化游

古老的黄河是中华大地母亲河之一，她不但孕育了中华5000年文明，同时也为现代人留下了许多文化遗址。这里有郑州的大河村遗址、宋陵、汉墓和安阳的殷墟，还有武侯祠、张仲景墓，都足以让人留连其中，发遣怀古之幽思。

大河村仰韶文化遗址出土的陶碗

大河村遗址

大河村遗址位于郑州市北12公里处。1964年秋发现，面积约30万平方米。1972～1980年郑州市博物馆曾进行11次发掘，发现大量墓葬、灰坑、房基等遗迹和遗物。从发掘资料看，是一处包含有仰韶文化、龙山文化、商代文化三个不同历史时期的遗址，其文化层深达4～7米，最引人注目的是居住房屋的留存。其中一号房基的墙壁高达1米，为目前国内该时期房基中所仅有。据碳同位素测定，距今已约5000年，属新石器时代仰韶文化晚期。出土的文物主要有红陶黑彩、白衣彩陶。彩陶片上描有各种天文图象如太阳纹、月亮纹、日珥纹等。这一发现，对研究仰韶文化的农业和古代天文学的关系具有重要意义。

郑州大河村古文化遗址

东汉汉墓壁画

医圣祠

医圣祠位于南阳市东关温凉河畔，是纪念东汉末年大医学家张仲景（约150～219年）的庙宇。张仲景名机，南阳郡人，医术精湛，著作甚丰，尤以后人收集整理的《伤寒论》和《金匮要略》为著名。祠内有张仲景墓、汉阙等建筑。现辟为张仲景医史文献馆，为驰名中外的中医圣地，被列为国家重点保护单位之一。

安阳殷墟博物苑

黄河

　　黄河是中国第二条大河，流经9个省(区)，全长5464公里，流域面积75万多平方公里，年流量480亿立方米，每立方米含黄沙量平均35公斤，所以称之为黄河是名副其实的。黄河最大含沙量为每立方米650公斤，是世界含沙量最大的河流，自古以来，人们爱用"跳进黄河洗不清"这个比喻。黄河每年把16亿吨泥沙带到下游，使黄河中下游的河床高于两岸的平原，并且还在不断淤高。黄河流经的开封河段，河床已高出城市10米，素有"悬河"之称。

殷墟

　　殷墟位于安阳西北约两公里的小屯村，是中国商代后期都城遗址所在地，也是经考古发掘可以确定年代的最早都城。公元前十四世纪，盘庚迁都于此，称"殷"，直到商纣亡国，共273年。周灭殷后，这里渐趋荒芜，故称殷墟。殷墟于1928年开始科学发掘，总面积达24平方公里，东西长约6公里，南北宽约4公里，分布着大量的文化遗址，其中有宫殿建筑遗址、大型陵墓、祭祀坑、车马坑等，还出土了十万多片载有3000年前古文字的甲骨、重875公斤的稀世珍宝司母戊青铜大鼎以及象牙杯等珍贵文物。殷墟是全国重点文物保护单位之一，现建有殷墟博物苑。

武侯祠

　　武侯祠位于南阳市西南约4公里的卧龙岗。相传蜀汉丞相武乡侯诸葛亮曾躬耕于此，唐宋时建祠以作纪念。元初遭兵毁，大德年间重修。清康熙时，南阳郡守在祠内发现前人题咏"卧龙岗十景"的石刻，就依石刻建了半月台、老龙洞、野云庵、三顾茅庐、小虹桥等古建筑群，面积7500平方米。祠堂内碑碣达300多块，其中有岳飞手书的诸葛亮前后《出师表》、"还我河山"和郑板桥书"难得糊涂"碑刻，笔体苍劲，洒脱俊逸。祠东南隅有台，传为诸葛亮读书处，西南隅有龙角塔。

望黄河亭

南阳卧龙岗

"城下城"开封

开封古称汴梁、汴京，是我国著名古都之一，至今已有3000多年的历史。开封自古有"城下城"之说，流传的"开封城摞城，地下压了几道城"的民谚，已被大量发现的遗址、遗迹所证实。开封的主要名胜古迹有相国寺、龙亭、铁塔、繁塔、禹王台等。新增参观景点有"宋都一条街"和"中国翰园碑林"等。

相国寺

相国寺是中国著名佛教寺院之一，坐落在古城开封市内，创建于北齐天保六年(555年)，原名建国寺，唐延和元年(712年)，睿宗因由相王而即帝位，故亲题"大相国寺"匾额，从此改名为相国寺。

唐、宋是相国寺的鼎盛时期，向有"大相国寺天下雄"之称，加之小说《西游记》、《水浒传》等书的生动描写，相国寺更加闻名遐迩。

相国寺内有一钟亭，内悬一口巨大铜钟，高约4米，重1万余斤，为清乾隆年间铸造。相传霜天凌晨，猛扣铜钟，可以声震全城。"相国霜钟"被誉为"汴京八景"之一。

宋都一条街

开封"宋都一条街"是按照《东京梦华录》和《清明上河图》等古书古画提供的样式，又根据"宋代营造法式"而精心设计的。宋都一条街的两旁是一片新建的二层或三、四层各式仿宋的古典楼阁。这些楼阁面朝大街，多为服装店、食品店、风味馆、餐厅、百货商店等，大都起了宋代店名，不少服务员也身着仿宋古装，一片古意盎然，是游人必游之处。

北宋画家张择端作《清明上河图》，画当时汴京风貌。这是汴绣《清明上河图》的局部。

开封宋都一条街

樊楼

宋都一条街上的樊楼曾是北宋时期汴梁的第一家大酒楼。风流皇帝宋徽宗赵佶，正是在这里结识了宋都名妓李师师；《水浒传》中的梁山泊头领宋江，也正是为找李师师"走后门"而来到这里。当年的汴京有72家酒店，樊楼是首屈一指的。樊楼三楼现布置为李师师的书斋、琴房和卧室；樊楼的对面就是龙亭湖，湖面上建有小亭、小桥，热闹非凡，是中外游人逍遥游览之地。

龙亭

　　位于开封市城内西北隅的龙亭原为北宋和金代的皇宫。清康熙三十一年在这里筑了一座万寿亭，亭内供有"皇帝万岁"的牌位，人们称之为"龙亭"，每逢重大节日，文武官吏皆来此朝拜。道光二十五年此亭毁于大风灾，现在的龙亭为咸丰六年重建。

　　龙亭建在一座高达13米的巨大砖砌台基上，为重檐歇山式正殿。远远望去犹如天上宫阙。殿内正中放置着一个巨大的黑色"龙墩"，为宣读皇帝诏书的地方。在龙亭的前面有两个大湖，东边的叫潘湖，西边的叫杨湖，把龙亭装点得更加雄伟。现在的龙亭不仅是景色秀丽的公园，也是拍摄电影的外景地，影片《少林寺》里的许多镜头就是在这里拍摄的。

龙亭

繁塔

　　位于开封市南郊的繁塔是开封现存最早的古代建筑，繁塔高31米，六角形、塔身3层，顶部内为平顶。清代，又在塔上建七层小塔一座，造型独特。塔的外部全用一尺见方的方砖砌成，砖面雕刻的佛龛姿态各异，雕镂精致。塔内各层壁上镶有宋代各种石刻，其中最著名的有宋代书法家赵安仁所书《金刚经》、《十善业道经要略》等。

铁塔

朱仙镇年画
朱仙镇年画始于唐代，盛于明清。相传开封朱仙镇是中国"木版水印年画"的发源地。这种年画富于浓郁的乡土气息，刻线粗犷奔放，构图饱满紧凑，人物造型浪漫夸张，具有鲜明的地方色彩和古拙的艺术风格。年画的品类有门神、灶画、中堂、对联等，多取材于人们熟悉的人物、故事和传说，深受群众的欢迎。

繁塔

铁塔

　　铁塔位于开封城内东北。初名开宝寺塔，因外观铁褐色，俗称铁塔，由于黄河的泛滥，塔基已掩埋于地下。塔身外部用近30种不同造型的褐色琉璃砌成，砖面上塑有伎乐飞天、麒麟、坐佛、立僧、宝相花等50余种花纹图案，工艺细腻，栩栩如生。

　　这座大型琉璃砖塔经历千年的风雨、水患、兵火、地震，至今屹立无恙。现在这里已辟为铁塔公园，并附设文物陈列室，供参观游览。

中岳嵩山

嵩山为五岳之中岳，属伏牛山脉，主体在登封县北面，由太室山和少室山组成，海拔分别为1440米和1512米，东西绵延60多公里，最高峰为峻极峰。嵩山山奇峰险，风光壮丽，又有众多古迹罗列其间，天下闻名的少林寺即位于少室山上，其他重要古迹还有：北魏嵩岳寺及塔，汉代嵩山三阙（太室阙、少室阙、启母阙），元代观星台及中岳庙、净藏禅师塔、嵩阳书院等。

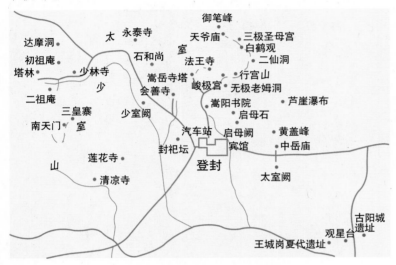

嵩山游览路线图

嵩山索桥

攀登嵩山的必经地——石门

中岳古庙会

中岳庙四周群山环抱，景色秀丽。庙内古木参天，建筑精美。登封附近的老百姓，喜欢在春暖花开和秋高气爽之时来这里踏青郊游，久而久之，就形成了春秋两季的中岳古庙会。

每到春季农历三月初十和秋季农历十月初十，传统的古庙会就拉开了序幕。会期长达10天，庙会活动丰富多采。有的人来这里是为了经商，有的是来会上卖艺，有的人是游览玩耍，更多的人是趁庙会期间上香祭神。10天的庙会，热闹非凡，人群摩肩接踵，似水如潮。

嵩阳书院

嵩阳书院位于嵩山南麓太室山脚下，建于北魏孝文帝太和八年（484年），原为嵩阳寺。宋时改为太室书院和嵩阳书院，历经金、元、明、清各代重修增建，是一所历史悠久、规模宏大的官办书院，与睢州的应天书院（睢阳书院）、湖南的岳麓书院、江西的白鹿洞书院，共称为中国古代四大书院。宋代理学大师程颢、程颐曾在此讲学。现存房舍都是清代晚期建筑，原有藏书已散失殆尽，现存的文物多与书院无关。

嵩岳寺塔

嵩岳寺塔

嵩岳寺塔位于嵩阳书院西北4公里的山谷中，建于北魏孝明帝正光元年(520年)，距今1400多年，是中国现存最古的佛塔。塔高15层，40多米，周长33.72米，壁厚2.45米。塔身呈抛物线形，密檐外迭向内收达1米多宽，塔的平面为12角，精巧独特，外涂白灰，腰檐以上的砖柱均涂红色。塔刹为石雕圆柱，高约2米，呈螺旋形，保留了印度佛塔的风格。

嵩山中岳庙

嵩山中岳庙是中国最早的道教庙宇之一，为历代封建统治者祭祀中岳山神的地方。庙宇始建于秦代（前221～前207年），原名"太室祠"。庙址在历史上有过多次变迁，到唐玄宗初年（712年）才定于现址，以后历代都有修葺。中岳庙现存建筑300多间，占地面积10万多平方米，中轴全长约600米，沿庙宇中轴线依次而上，有中华门、峻极殿、天中阁等主要建筑。庙内有汉至宋代的古柏300多株，保存的重要文物有魏碑、唐碣、宋代4尊铸铁人、宋金"四状元"碑（因撰文人都是当时的状元，故名）、宋金庙图碑和铁狮子等。

嵩山中岳庙

嵩山净土少林寺

少林寺位于嵩山的五乳峰下，始建于北魏太和十九年（495年），至今已有1500年的历史。它是一座有七进院落的庙宇，占地约3万多平方米。现在的少林寺建筑，多半是明、清时期重建的，基本上还是仿效原样建造的。由于少林寺对发展和传播中国武术起了重要作用，故被称为"天下第一刹"。武以寺名，寺因武显。少林寺不但是佛教圣地，也是国内外武林友人敬慕之地。

少林寺的建筑、壁画、碑刻都极具特色。现存建筑主要有山门、达摩亭、白衣殿、塔林等。

少林寺内壁画

山门即少林寺的大门，山门门额的横匾上有"少林寺"三个金漆大字，是清康熙皇帝来此游山时所题书的。

少林武术

　　武术是中国的国宝之一。少林武术的得名是由少林寺而来，起源于北魏(386～581年)时代。当时印度高僧达摩来到少林寺传授以"明心思性、一切皆空"、"面壁"、"静坐"为主的"禅宗"，从而使精神、肉体造成极大困惑、萎缩，迫使他们不得不进行有益于身心健康的锻炼。于是，达摩根据经脉活动、自卫防身和鸟兽鱼虫种种姿势，创造了心意拳的雏形，教授给僧徒演练、充实，并不断发展为少林拳术。后来，少林武术又注意吸收引进被官府通辑追捕而投奔来寺落发为僧的武士侠客武术，进而推广流传。特别是自从少林十三棍僧搭救秦王李世民之后，少林寺得到李世民的表彰和支持，给少林寺赐封田地，谕立500"僧兵"，赏以酒肉，开创了允许僧人公开习武和破除了"五戒"的新局面，使少林武术的发展又推进了一大步。

塔林

　　塔林位于少林寺西约300米，为少林寺历代高僧的塔墓。现存唐、宋、金、元、明、清各代砖石塔220余座，是中国最大的塔群。造型有四角、六角、柱体、锥体、直线型、抛物线形、瓶形、圆形以及独石雕刻等，种类繁多，形色不一。

古城洛阳

洛阳是中国著名的历史文化名城，为13朝建都之地，其间共经历96个帝王。在洛阳，名胜古迹处处皆是，有龙门石窟、白马寺、关帝庙、汉魏洛阳故城等。除此以外，这里还可以看到闻名中外的洛阳牡丹。

龙门石窟

龙门石窟位于洛阳城南13公里处。这里两山对峙，伊水中流，犹如一座天然门阙，加之古代封建帝王常来此朝香拜佛，后人便称之为"龙门"。龙门大桥横跨伊水，将东西两山连接起来，而龙门石窟则遍布于伊水两岸的峭壁上。

龙门石窟开创于魏孝文帝太和十八年(494年)，历经东魏、西魏、北齐、北周、隋、唐，各代都有雕凿。现存2100多座窟龛，10万余尊造像，3600余块碑刻题记。这些石窟雕饰奇伟，与敦煌莫高窟、大同云冈石窟并称为中国三大佛教艺术宝库。

专家指点

参观龙门石窟最好上午去。因上午阳光直照石窟西山，光线充足，便于游人摄影。

关林

关林位于洛阳城南关林镇，即关羽的庙堂和陵墓。因墓前植有古柏千株，故称关林。

关林正门为五开间三门道，朱漆大门镶有81个金黄乳钉，享有中国帝王的尊贵品级。殿宇盖显高耸、飞翅凌空、气势峥嵘，厅中塑有关羽头戴十二冕旒王冠、身着龙袍的坐像。关羽身旁有捧大印的儿子关平和持刀的周仓立像。后边的二殿即武殿。在其两翼有"张飞殿""五虎殿"被称为陪殿。三殿即春秋殿，厅内有关公秉烛夜读《春秋》的坐像及卧像。四周有关公战吕布、镇荆州、战长沙的彩饰画。

白马寺的来历

相传东汉永平年间的一天夜里，汉明帝做了一个梦，梦见一个浑身闪闪发光的金人，在宫里飞旋。第二天，汉明帝召来大臣们为他圆梦，一个大臣说："我听说西方有一种叫佛的神，陛下梦见的金人，一定是佛。"汉明帝是个非常迷信的人，于是，他便派人前往天竺国(今印度)去取佛经，历经艰难带回了佛经原本——梵文贝叶经，并在白马寺的清凉台上译出了最早的汉文佛经——《四十二章经》以及其他佛学著作。为了存放这些佛经和宣扬佛教，汉明帝下令仿照天竺国的佛寺的样子，建造了一座佛寺。因为佛经是用两匹纯白的马驮回来的，寺院建成后，起名为"白马寺"。

白马寺

白马寺位于洛阳城东10公里处，是佛教传入中国后兴建的第一座寺院。白马寺内现存建筑有天王殿、大雄宝殿、千佛殿、毗卢阁、钟楼、鼓楼等。山门外有两匹石马，是后人把其他宋墓前的石马移来附会"白马驮经"之意。寺内钟鼓楼之下有天竺高僧摄摩腾、竺法兰的两个墓冢。齐云塔位于白马寺外，高约24米，共13层，五代时建，重修于金大定十五年(1175年)。塔形美观，是中国著名古塔之一。

白居易墓

白居易墓位于龙门石窟东山，和龙门石窟一起，被列为全国重点文物。白居易是唐代伟大的诗人，他年老时曾居住在洛阳的香山，号"香山居士"，终年75岁。白居易生前曾修过龙门滩，也叫八节滩，就在香山伊水中的一块地方。这里原来水浅路窄，中有石头，船行其中易触石倾覆，相传白居易捐钱募款，与群众一起把水路凿通。白居易死后葬在香山，墓碑上写着"唐少傅白公墓"，坟形似琵琶，这显然是后人为纪念诗人的名诗"琵琶行"而修建的。

奇山秀色

河南是一个人杰地灵的地方。这里除了中外著名的古都和少林寺外，其奇山秀色也吸引了众多的游人。

"云雾公园"鸡公山

鸡公山

鸡公山位于河南信阳市南40多公里的大别山中，方圆约50公里，是国家重点风景名胜区之一。主峰报晓峰海拔784米，形似鸡头；两侧有灵华山和长岭，宛如雄鸡的两翼；峰之左右两沟，酷似鸡爪。整个山形如雄鸡引颈报晓，矫健矗立于群山之中。这里山势奇伟，云雾缭绕，泉水清澈，山风时生时息，白云忽起忽落，故有"云雾公园"之称。即使盛夏，气温最高也只有23℃，明人有诗赞曰"三伏炎热人欲死，到此清凉顿疑仙"。

山上主要旅游景点有报晓峰、灵华山、避暑山庄、泻红涧、活佛寺、将军石、龙潭瀑布、荷花池、云海奇观等数十处。楼、亭、台有日本式的，也有欧美型的，是理想的避暑游览之地。

嵖岈山石猴观海

开封人玩斗鸡

斗鸡是中国的一绝。开封自古就是斗鸡盛行的地方，现在也有许多爱好者。每年农历正月初二，是斗鸡比赛的日子。农历二月二、三月三、四月四也是斗鸡的好时候。现在，斗鸡的地方多在龙亭公园、铁塔公园、汴京公园和相国寺内。

嵖岈山石林

嵖岈山

嵖岈山位于河南省遂平县城西25公里处的大平原上，面积4平方公里，海拔417米。由蜜蜡山、南山、北山三大主峰组成。蜜蜡山风景秀丽，北山险峻陡峭，南山小巧玲珑，有"中原盆景"之称。每年农历三月十五日，这里有古刹大会，非常热闹。嵖岈山上奇岩怪石，而优美动人的传说，也为到此的游人增添了几分情趣。传说嵖岈山是用天宫中王母娘娘花园里假山上的石头造的，所以就显得无比峻美。在山上，有"三皇姑楼"、"灵官殿"、"灵官殿"、"关岳庙"、"纯阳宫"等庙宇建筑。

王屋山

王屋山上的愚公移山造像

雄伟秀丽的王屋山位于河南省西北部，济源县城西北45公里处，东依太行，西接中条，北连太岳，南临黄河，因"山形如王者车盖"，故称王屋山。主峰海拔1715.7米，上有一坛，相传为4000多年前的轩辕黄帝为祈天求雨而建，故名天坛山或天坛峰。天坛峰耸立万山丛中，为太行山之脊。天坛峰的两翼为日精峰、月华峰，其南麓有阳台宫，为唐代道人司马承桢修道处。现存三重檐的琉璃玉皇阁，高近20米。王屋山的自然风光亦有与众不同之处，一年四季阴晴变幻，风雨无常，加上奇峰异石，流云晚照，悬泉飞瀑，蔚为奇观。特别是《列子·汤问》中"愚公移山"的故事就发生在这里，更给这里蒙上一层神秘而又奇幻的色彩。

王屋山天坛峰

王母洞的传说

天坛峰北面，一条很深的峡谷把太行山和王屋山断然分开，王母洞就坐落在峡谷北面的五斗峰上。关于王母洞，还有一个传说：王母洞是雷公电母专为王母娘娘修建的行宫。当年，王母娘娘羡慕人间男耕女织的美好生活，经常到人间游玩，每次都住在这座行宫里。王母洞共有八厅，据说可以容纳千军万马。洞中有胭脂泥，光滑细腻，用此泥捏的灯盏不会渗油。这种泥传说是王母娘娘带众仙女来游玩时，仙女们洗脸时将脂粉水泼在洞中沉淀而成。

石人山

石人山位于河南鲁山县西部，古称尧山。因尧的后人在此祭祖，并立尧祠而得名，后改名石人山。其山门由花岗岩砌成，宽19米，高12米，形似牌坊而又独具特色。石人山集雄、险、奇、幽于一身，有"河南张家界"之誉。著名的景观有石人、白牛城、白龙潭、金龟望月、王母桥、报晓峰及瘦瀑等。金龟望月和报晓峰十分生动传神，而瘦瀑更加引人入胜，它不以声势壮阔夺人，而以细如银线取胜。

石人山报晓峰

河 北

河北省北控长城，南界黄河，西倚太行，东临渤海，地形地貌千姿百态，自然景观丰富多彩。河北省拥有国家级重点文物保护单位37处，历史文化名城3座，国家级风景区4处。承德的避暑山庄－外八庙，秦皇岛的山海关－老龙头，易县的清东陵，遵化的清西陵、赵州大石桥，沧州铁狮子等，无一不是中华民族的文化瑰宝。

浑厚纯朴的燕赵之地，陶醉了一代代华夏儿女，吸引了不计其数的中外游人。

河北旅游指南

景点推荐

避暑山庄	承德市北近郊
外八庙	承德市北近郊
木兰围场	承德北120公里围场县境内
丰宁大滩草原	承德北部
北戴河风景区	秦皇岛近郊
山海关	秦皇岛东北约15公里
老龙头	山海关南约5公里
孟姜女庙	山海关东6公里
西柏坡	石家庄市西北平山县西柏坡村
毗卢寺	石家庄市西北15公里的上京村
赵州桥	石家庄市东南约40多公里的赵县境内
苍岩山	石家庄市井陉县东南
天柱山风景区	石家庄市平山县城西50公里
嶂石岩	石家庄市南100公里赞皇县境内
隆兴寺	石家庄市北15公里的正定城内
正定四塔	石家庄市北15公里的正定城内
白洋淀	保定市东约45公里
莲池公园	保定市中心
满城汉墓	保定市西20公里处的满城县
响堂山石窟	邯郸市峰峰矿区
清东陵	遵化市马兰峪西
清西陵	易县西永宁山下
野三坡	涞水县

文化娱乐

中国杂技艺术中心	吴桥县
围场塞罕坝狩猎	围场县木兰围场内
滑沙	昌黎黄金海岸
"天外天"水上度假村	保定市白洋淀
中国电影城	涿州市
滑雪	张家口坝上草原

旅游购物

承德：蕨菜、杏仁、挂锦、木雕

北戴河：海蜇、海蟹、虾、各种海鱼、贝雕工艺品、海水珍珠

特色推荐：沧州金丝小枣、深县大蜜桃、赵县雪花梨、坝上
口蘑、保定槐茂酱菜、武强年画、蔚县剪纸、宣化葡萄酒

特色餐饮

承德：御土荷叶鸡、汽锅野味八仙、糖酥大扁（山杏仁）、
五香鹿肉、蕨菜肉丝、鲜花玫瑰饼、南沙饼、杏仁露、口蘑、
碗坨、荞面窝窝

北戴河：爆大虾、清蒸海蟹、烧蟹黄、琵琶大虾

白洋淀：贴饼子、熬小鱼、菱角、莲藕

石家庄：金毛狮子鱼、白龙过江、芙蓉出海、鸳鸯银耳、雪桥八仙

游程建议

海滨之旅

北戴河风景区（鸽子窝看日出、海滨浴场游泳）－南戴河风景
区（黄金海岸滑沙场滑沙、游中国万博文化城）－山海关（参观
山海关旁的长城博物馆）－老龙头－孟姜女庙－角山长城

皇家宫苑之旅

避暑山庄－外八庙（普仁寺、普乐寺、安远庙、普宁寺、须弥福
寺之庙、普陀宗乘之庙、殊像寺）－罗汉山（磬锤峰、鸡冠峰）
－木兰围场（采摘金莲花和野百合、蒙古草原、乌半布通古战
场、高原湖划船、草原骑马）

白洋淀之旅

保定（直隶总督府、古莲池）－安国（药王庙、中国最大的药材
市场）－满城（满城汉墓）－白洋淀（吃全鱼宴，晚上观荷灯）
－清西陵（参观昌陵和泰陵）

野三坡周末自助游

涞源－仙人峪、空中草原－十瀑峡－野三坡（观看苗家歌舞或
到十渡）－涿州影视城

注：驱车去空中大草原，要在沙石质地的盘山路上颠簸4个小
时，然后还要爬上海拔2000米的山巅，心急者一定要耐住性子，
体力不佳者慎行。

特别提示

● 坝上草原属于高原气候，夏季全天最高气温24℃，但早晚
温差很大，最多相差15℃。白天着装与在市内无太大差别，
早晚需加外套或薄毛衣。小孩子尤其要注意及时加减衣服。
贪恋夜色的人可以从景点租用棉大衣。女孩子一定要带上
防晒霜，草原白天日照强。

● 要骑马的游客宜穿耐磨、布料柔软的长裤。

● 草原上可以放鞭炮，但不必费心提前购买，景点有售。

● 涞源是全国五大虹鳟鱼产地之一，虹鳟鱼肉质鲜美，可让你
一饱口福；另外，还可品尝多种风味菜和风味饭——酸酸
的涞源豆腐、无糖的苦荞面条、薄薄的煎饼、粘米面枣云糕。

皇家园林中的奇葩

承德位于河北省东北部,地处蒙古高原与华北大平原的过渡地带,是从东北方向进入北京的重要门户。因这里有一股常年涌水的不冻泉而又称"热河"。

承德是一座具有近300年历史的文化名城,世界上现存最大的皇家园林——避暑山庄就坐落于此。它是清王朝时期仅次于北京的另一政治中心,有"塞外京都"的美称。康熙曾夸赞此处:"自有山川开北极,天然风景胜西湖。"

承德避暑山庄和外八庙风景区

避暑山庄位于承德市北郊。它坐落在峰峦起伏的塞北群山之中,建于1703~1790年间,是清代鼎盛时期的建筑。山庄面积约564万平方米,为北京颐和园的2倍,是中国现存最大的皇家园林。

避暑山庄内的水心榭位于下湖与银湖之间。桥上三榭具有浓郁的江南风格。榭下有八孔水闸,可以控制水位,使下湖水位高于银湖,流水日夜不息,形成动人美景。

避暑山庄是清代帝后每年夏秋季节日常起居、处理朝政和举行庆典的地方,宫殿布局严谨,建筑朴素。园景充分利用自然地形,运用中国传统造园手法,集中了古代南北园林艺术之精华。

避暑山庄内共有亭榭90余座,堤桥29座,碑刻摩崖25处,大小叠石假山120多组,宫门9座,殿阁、楼台、寺观庵等建筑120组,其中有史称"康乾七十二景"的景观。

匾额"避暑山庄"为康熙皇帝手书。

承德金山寺

避暑山庄景区包括宫殿区和苑景区。宫殿区主要由正宫、松鹤斋、东宫、万壑松风等建筑组成。其宫殿造型朴素,虽无繁复华丽的装饰,但气势恢宏、典雅庄严。苑景区汇集了秀丽的江南各地景致。湖区中烟雨楼、金山岛以及水心榭最有名;平原区景色辽阔苍茫,其中以曾收藏《四库全书》的文津阁最有名;山区占山庄的4/5,基本上由东西走向的峡谷组成,景点建筑多巧借自然之势,形态各异。

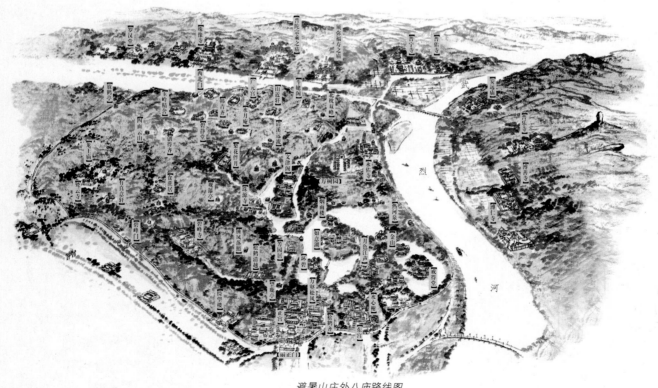

避暑山庄外八庙路线图

丽正门

丽正门是避暑山庄的正门，也是正宫的前门，丽正门建于乾隆十九年(1754年)。建筑风格承袭了明代"门上筑堞起楼以壮其观"的作法，下设三个门洞，上建齿状矮墙与墙楼。不论远观或近望都给人以雄浑之感。

丽正门中间的门洞上方有一块石匾，上面是乾隆用满、汉、蒙、藏和维吾尔族五种文字书写的"丽正门"。

澹泊敬诚殿

澹泊敬诚殿是避暑山庄的正殿，初建于康熙五十年，乾隆十九年用楠木进行改建。由于使用大量的楠木建造，又以灰瓦铺顶、青砖砌墙，造型古朴典雅，故又称楠木殿。

澹泊敬诚殿和北京故宫太和殿一样，是皇帝庆祝寿诞、举行其他重大庆典和接见王公贵族、各少数民族政权领袖及各国使臣的地方。殿内悬挂康熙手书匾额"澹泊敬诚"。

烟雨楼

烟雨楼是仿浙江嘉兴南湖鸳鸯岛上的烟雨楼所建。四壁皆有楼窗，可凭栏环览四周景色，北面是山庄平原，南面是如意湖水，东面可远眺磬锤峰，西面是层峦叠翠的青山，令人心旷神怡。

烟雨楼

文津阁

文津阁和北京紫禁城的文渊阁，圆明园文渊阁，以及沈阳故宫的文溯阁合称"内廷四阁"，是储藏《四库全书》和《古今图书集成》的地方，因而甚为著名。

文津阁

烟波致爽殿

烟波致爽殿

烟波致爽殿是皇帝的寝宫，1860年咸丰帝在此病逝后，慈禧太后曾利用此地密谋策划、发动北京宫廷政变，从此满清王朝政权落入祸国殃民的老佛爷之手，慈禧"垂帘听政"达四十几年。

万树园

万树园位于避暑山庄平原区东北部，占地约53公顷。当年这里设有28个蒙古包，乾隆在此召见并宴请少数民族的王公贵族，同时封爵奖赏，一起观看马戏烟火等各项杂技，场面非常热闹。现在万树园以北亦有许多蒙古包，是山庄内供游人休闲度假的旅馆。

芝径云堤

芝径云堤

芝径云堤是与环碧岛、如意湖和月色江声三个湖岛相连的长堤，宛如一株灵芝仙草，湖岛是芝叶，长堤为芝径；又像一朵朵与长堤相连的云彩，所以康熙取名为"芝径云堤"。

承德外八庙

外八庙是清初皇帝为了团结蒙古、新疆、西藏等地区的少数民族，以及加强边疆地区的管理所建。因为其中八座住有喇嘛，由理藩院负责管理，所以统称为外八庙。

外八庙是中国最大的寺庙集中地之一，环列于避暑山庄的东、北方，它融合了汉、蒙、藏、维等民族的建筑形式，颇具特色。

外八庙内存留大量形态各异的藏传佛教造像，有的堪称为珍宝。此图为描金绿松石佛。

普陀宗乘之庙的五塔门位于寺庙前半部，门上有5塔，分别代表佛教5派。

大威德金刚像，藏传佛教中护法金刚之一，专司镇压邪魔。

普陀宗乘之庙

普陀宗乘之庙是外八庙中最大的一座，俗称"小布达拉宫"。乾隆三十五年正值乾隆帝60大寿，次年又值皇太后80寿诞，乾隆为庆祝这两大节日时，能使前来庆贺的少数民族领袖在这里也能看到南海大寺的普陀道场，借以荣耀自己，于是便授意仿建。按佛教学说，佛教世界有三个普陀，一在印度，一在拉萨，一在浙江定海。然而印度的普陀难以考察，因此效法西藏布达拉宫，依样兴建。

普乐寺

普乐寺建于乾隆二十一年，俗称圆亭子，占地2.4万平方米，主要供奉上乐王佛，又称欢喜佛。这座寺庙是为了表示对西北各民族宗教信仰的尊重，以及加强中央集权的统治所建。寺庙的朝向与众不同，座东朝西，面对避暑山庄，背倚磬锤峰，并与两者形成向心结构的中轴线。

普乐寺

普宁寺

普宁寺俗称大佛寺，建于乾隆二十年，占地3.3万平方米，是为庆祝朝廷平定准噶尔部叛乱所建，寺庙仿西藏三摩耶寺，主殿大乘之阁又名三样楼，四周有众多佛殿、白台和喇嘛塔，底部坐落于大须弥台基上，正面有二龙戏珠石雕，建筑共六层屋檐，五层楼阁，顶部有五个攒尖鎏金铜顶，金光闪烁，蔚为壮观。

普宁寺大乘之阁中的千手千眼观世音菩萨像，身高22.28米，重约110吨。大佛有42只手，手中持有法器，代表了佛有力量"普度众生"。

磬锤峰由于在长期的风化作用下，形成了上粗下细的石挺，犹如农妇洗衣时用来敲打衣服的"棒槌"，故俗称"棒槌峰"。

磬锤峰

磬锤峰位于承德市北方，原名棒槌山，为一天然形成的地理景观。当年康熙北巡勘察地形时，因见其状似磬锤，"磬"又有帝王召集众蒙古王公的象征意义，故更名为磬锤峰。

北戴河风景区

北戴河风景区位于河北省东北部,滨临渤海,是中国北方著名的避暑游览风景区。这里海岸平坦曲折,沙软滩平,海水含盐率高,浮力大,形成一个个优良的天然海水浴场。而风景区附近那一座座亭台楼阁、寺庙庭院也为北戴河景区平添了一道亮丽的风景。

北戴河

北戴河位于河北省秦皇岛市西南约15公里处。其风景区西起戴河口,东至鸽子窝,长约10公里。

北戴河海滨滩面平缓,沙软潮平,海水清澈,为中国著名的天然海水浴场。北戴河风景美丽,林木茂密,气候温和湿润,凉爽宜人,夏季日平均气温仅23℃。北戴河名胜古迹很多,自然景色也千姿百态。北戴河著名景点有联峰山、骆驼峰、观音寺、南天门、老虎石、莲花石、鸽子窝、鹰角亭等24景。

鹰角岩景区

鹰角岩景区位于北戴河东海滩北端,岩崖尽头耸立着一座孤峰,远远望去好象雄鹰屹立崖外,鹰角岩由此得名。过去在鹰角岩常常有成群的鸽子于石缝中造窝繁殖或栖息,故又称鸽子窝。1954年毛泽东就曾在鸽子窝公园写下了《浪淘沙·北戴河》。

南戴河

南戴河旅游度假区位于河北省昌黎县境内,它南临大海,东隔戴河,与著名的北戴河海滨东西并列,隔河相望,一桥相连,恰似一对"孪生姐妹"。

南戴河海滨7、8月份平均气温仅为23℃,海风习习,凉爽宜人。南戴河内黄金海岸细沙柔软如毯,是进行海浴、沙浴、日光浴和空气浴的天然浴场,有人说北戴河虽好,但它只是一处疗养胜地,但称不上是旅游胜地,因为那里疗养院多,公共旅游和游乐设施却很少,南戴河恰恰弥补了这一缺憾,现在南戴河已开辟了如滑沙场、龙潭燕塞石林、鹦鹉洞等人文旅游点。

422

山海关

位于秦皇岛东北约15公里的山海关，是长城东部的起点，即"万里长城第一关"。因长城倚山傍海，地势险要，故名"山海关"。它是华北与东北之间的咽喉。

山海关是一座威武雄壮的大关，城高14米，厚7米。城门内外有一种奇怪的自然现象：当你分别站在关口的两头时你会感到两边的气温有明显差别，有时当你乘车经过关口，在这边身体感觉还是暖的，到了辽宁地界则变成了凉爽的感觉，而其间距离不超过10米。

山海关城楼

"天下第一关"

山海关东边城楼上有一块大匾，上面写有"天下第一关"五个大字。这五个字为明代尚书肖显所书。相传肖显幼时聪明好学，少年时代就擅长书法，并成为当地举子。山海关建成后，朝廷张榜悬赏有才之人为山海关题字，肖显挥笔写下"天下第一关"，并将这五个大字赠于曾资助他进京赶考的一位老人，嘱其先把"天下第关"送去朝廷，当皇帝招募天下名士欲得"一"字而不成时，再呈上"一"字，老人由此得到一大笔赏钱。

老龙头

老龙头是万里长城最东的起点，在山海关南约5公里。老龙头北连长城，南入渤海，气势磅礴，雄伟壮观。

老龙头起基于渤海，龙头高约10米，以长方形石块砌成。明朝将领戚继光为了防御外族入侵而主持修建。据说，施工时由于水大浪高无法填土砌石，于是就用了十几万口大锅，扣在水下，构成一道铁锅墙，挡住巨浪的冲击，然后排水下桩。康熙九年，又在老龙头建起一座"澄海楼"，又名"知圣楼"。乾隆皇帝曾多次登上此楼，观潮看景，眺望东北老家。

孟姜女庙

孟姜女庙位于山海关东6公里。相传孟姜女寻夫，见丈夫已死，悲痛万分，在孟姜女庙东南5公里处投海，后人称此地为姜女庙，并建祠，称投海处的礁石为姜女坟。坟四周都是海水礁石，滑不可登，只有飞雁翔集其上，人们称此景为"姜坟雁阵"。

老龙头

燕赵胜景

　　河北古称燕赵，古时为九州之一的冀州，春秋战国时为燕赵等国地。悠久的历史文化使得名胜古迹遍布于全省各地。石家庄附近有赵州桥、苍岩山、隆兴寺；冀中南有白洋淀风景区。

清东陵

　　清东陵位于河北遵化县的马兰峪。清东陵始建于1663年，陵区面积2500平方公里，是历代帝王后妃陵墓群中规模最大、建筑体系最完整的，它共有5座帝陵：顺治的孝陵、康熙的景陵、乾隆的裕陵、咸丰的定陵及同治的慧陵；同时还有4座后陵，5座妃园和1座公主陵。

慈禧陵墓的陛石采用突雕手法，构成一幅凤龙戏珠的画面。与其他石雕图案不同的是：龙在下，凤在上。

裕陵是乾隆皇帝与二后三贵妃的合葬墓。它是继明定陵之后挖掘的又一座具有独特风格的地下宫殿。地下宫殿的显著特点是除地面以外，四壁和券顶都布满各种佛教内容的石雕刻，是难得的地下艺术宝库。

白洋淀

　　距保定市东约45公里的白洋淀，是华北平原上最大的淡水湖。淀区内河淀相连，沟壕纵横，苇田星罗棋布，成为中国特有的一处自然水景风光。

　　白洋淀物产丰富，盛产大米、鱼虾、菱藕和"安州苇席"。其中尤以鳇鱼、鲂鱼、青虾、河蟹最为有名，被誉为美丽的鱼米之乡。

白洋淀中有自然形成的千亩荷花淀。这里荷花有粉、白两种，每年农历5~8月份荷花盛开时，淀内香气四溢。

赵州桥

　　赵州桥位于石家庄东南约40多公里的赵县境内，当地俗称为大石桥。该桥建于隋代大业元年至十一年（605～616年），是工匠李春设计建造的，距今已有1400年，是中国现存最著名的一座古代石拱桥。

　　赵州桥是一座弧形单孔石拱桥，全长64.4米，单孔跨度为37米多，桥面宽约10米，用厚约30厘米的条石铺成，在桥两端的石拱上，各辟2个券洞。这种桥梁的结构形式叫"敞肩拱"，它既减轻桥自身的重量，又利于排泄洪水，是中国，也是世界上土木工程桥梁史上的范例。

赵州桥

皮影戏因靠灯光映现人物造型，所以又称"影子戏"。影人均以平面制作，最初以纸刻制，后改用驴皮，因此又俗称"驴皮影"。据传，明代时皮影从甘肃传至河北唐山。

隆兴寺

　　隆兴寺位于石家庄市北15公里的正定城内。该寺创建于隋开唐六年（586年），原名龙藏寺，清代定名隆兴寺。现存的天王殿、摩尼殿、慈氏阁、转轮藏阁都保存着宋代的建筑风格和特点。

河北蔚县剪纸已有四、五百年的历史，它的艺术特色以"色工"、"刀工"的技法别于他省，更以色彩饱和浓艳著称于世。

隆兴寺俯瞰图

北 京
天 津

提起"北京"，人们脑海中立即会浮现出金碧辉煌的紫禁城、巍然耸立的天安门城楼、逶迤万里的宏伟长城、满山遍野的香山红叶，还有什刹海的荷花、卢沟桥的石狮、卧佛寺的大佛、雍和宫的打鬼、白云观的会神仙，以及幽深的胡同、亲切的四合院、铿锵的京剧、全聚德的烤鸭、同仁堂的药香、热腾腾的涮羊肉……让我们踏上长城，走入颐和园，走进京味文化，细细品味辉煌的北京之旅。

告别了北京，不妨去北京的门户天津一游，去独乐寺、天后宫，去盘山、去塘沽，当然别忘了去一趟南市食品街，品尝"狗不理"的包子，"耳朵眼"的炸糕。

北京旅游指南

景点推荐

天安门广场	北京市区中心
故宫	北京市区中心
北海公园	故宫后门
天坛	北京南隅
颐和园	北京西北郊10公里处
圆明园	北京西北郊
世界公园	丰台区大葆台路158号
香山	北京西北郊西山东麓
八达岭长城	距北京市约70公里的昌平县
十三陵	距北京市约70公里的昌平县
雍和宫	北京市东北二环路之内
恭王府	北京前海西街
国子监	雍和宫西侧的成贤街内
白云观	宣武区广安门外滨河路
大钟寺	北京市北三环路
法海寺	石景山区模式口翠微山南麓
潭柘寺	北京门头沟区

文化与艺术

中国历史博物馆	东城区天安门广场东侧
中国革命博物馆	东城区天安门广场东侧
首都博物馆	东城区国子监街13号
中国美术馆	东城区五四大街1号
北京古代建筑博物馆	宣武区先农坛东经路
古陶文明博物馆	宣武区大观园后门
梅兰芳纪念馆	西城区护国寺街9号
徐悲鸿纪念馆	西城区新街口北大街53号
鲁迅博物馆	西城区阜内大街宫门口二条19号
中国人民抗日战争纪念馆	丰台区宛平城内街101号
北京天文馆	西直门外大街138号
中国航空博物馆	昌平县大汤山
北京艺术博物馆	海淀区苏州街万寿寺内
中国人民革命军事博物馆	海淀区复兴路9号
中国工艺美术馆	海淀区复兴门
北京图书馆	海淀区白石桥路39号

特色街道

酒吧一条街	朝阳区三里屯
电子一条街	海淀区中关村
古文化街	宣武区琉璃厂
秀水街	朝阳区建国门内大街

休闲娱乐

老舍茶馆	前门西大街
长安大戏院	东城区建国门内大街7号
北京音乐厅	西长安街六部口北新街1号
北京游乐园	崇文区左安门内大街1号
富国海底世界	朝阳区工人体育馆南门
北京动物园	西直门外北京展览馆西侧
北京海洋馆	北京市动物园内
北京植物园	西郊香山脚下
北京康乐宫	北京亚运村汇园公寓
九龙游乐园	昌平县十三陵水库附近

新体验

蹦极

十渡	房山区
雁栖湖	怀柔县

攀岩

七大古都攀岩搏击馆	宣武门内大街 183 号
凤凰岭	海淀区聂各庄

卡丁车

安迪娱乐卡丁车俱乐部	朝阳区展览南路 1 号
赛纳威乐卡丁车场	西三环中央电视塔一层

滑翔

飞人航空运动俱乐部	北四环中路 245 号
华联航空俱乐部	学院南路甲 1 号

射击

北方国际射击场	昌平县南口西 3 公里

马术

石景山马术俱乐部	石景山区老山
格林马术培训中心	机场辅路丽京花园东邻

旅游购物

王府井、西单、前门、大栅栏、东四北大街是百货公司、服装专卖店等密集的繁华区,不仅可以购买北京特产,还有与世界同步的时尚精品。

北京特产:蜜饯、王致和臭豆腐、六必居酱菜、月盛斋酱牛肉、酥糖、秋梨膏、文物古董、内画壶、面人、宫灯、王麻子刀剪、内联升的千层底布鞋、同仁堂的安宫牛黄丸与乌鸡白凤丸

特色餐饮

全聚德	特色:烤鸭	北京前门西大街 14 号
便宜坊	特色:烤鸭	崇文区天坛东路 73 号
听鹂馆饭庄	特色:宫廷菜	北京颐和园
烤肉宛饭庄	特色:传统烤肉为主	北京复兴门内大街 93 号
谭府大酒楼	特色:谭家菜	西城区西直门内大街 188 号
莫斯科餐厅	特色:俄式西餐	西直门外展览馆东侧
马克西姆餐厅	特色:法式西餐	崇文门西大街 2 号
东来顺饭庄	特色:涮羊肉火锅	北京王府井大街 198 号
砂锅居	特色:京味菜	北京西四南大街 60 号
四川饭店	特色:川鲁菜	北京西城恭王府花园内
孔膳堂饭庄	特色:孔府菜	北京琉璃厂西街 3 号
硬石餐厅	特色:美国菜	亮马河大厦
虹亭	特色:日本菜	西城区宣武门西大街 115 号
北欧扒房	特色:西餐	皇家大饭店

特色小吃有:豌豆黄、艾窝窝、芸豆卷、炒肝、卤煮、灌肠、豆汁、焦圈、茶汤、爆肚、白水羊头

小吃街:王府井附近的东安门夜市、灯市口隆福寺、地安门钟鼓楼

节庆指南

北京大型春节庙会	农历除夕~正月初六	龙潭湖公园	小吃、摸石猴、文艺表演
北京延庆冰雪节	1 月 15 日~2 月 28 日	延庆县龙庆峡	冰雕、冰灯展
北京大兴西瓜节	6~7 月	大兴县	品尝西瓜
大观园迎春会	春节期间	大观园内	文艺表演
牡丹节	4 月中旬~5 月中旬	景山公园	牡丹花卉展
樱花游园会	4 月上旬	玉渊潭公园	游园赏樱花、划船
桃花节	4 月	北京植物园	赏桃花、文艺表演
郁金香展	4~5 月	中山公园	荷兰郁金香展
荷花展	7 月底~8 月初	圆明园	荷花展
中秋赏月晚会	农历八月十五日	颐和园苏州街、月坛公园	月饼小吃、文艺表演

天安门广场

　　天安门广场是全世界最大的城市中心广场，东西宽500米，南北长880米，面积约44万平方米，可容纳100万人集会。

　　金碧辉煌的天安门城楼坐落在广场北端，五星红旗在广场上空高高飘扬，人民英雄纪念碑屹立在广场中央，庄严的人民大会堂与壮丽的中国革命博物馆和中国历史博物馆在广场东西两侧遥遥相对，毛主席纪念堂和彩绘一新的正阳门城楼矗立在广场南部。宏伟的天安门广场已成为中国的象征。

天安门

　　天安门是明、清两代皇城的正门，始建于明永乐十五年(1417年)，原名承天门，表示皇帝"奉天承运"、"受命于天"。天安门建在2000余平方米雕刻精美的汉白玉须弥基座上，有高10余米的红色墩台，墩台上是天安门城楼，顶部覆盖着金碧辉煌的琉璃瓦，殿脊装饰有龙、凤、狮、麒麟、仙人等图案。60根通天红柱整齐排列，代表着天干地支，以示江山永固。天安门前有金水河，河上有5座雕琢精美的汉白玉金水桥，两对雄健的石狮和挺秀的盘龙华表等，使天安门成为一座完美的建筑艺术杰作。

天安门城楼上的红灯笼

华表上有承露盘，盘上有一怪兽，名"犼"。犼为龙生的九子之一，天性喜欢守望，所以老是蹲在华表上头。它的头微昂着面向南方，所以人们习惯称它为"望天犼"。

天安门城楼内景

神圣的华表

　　天安门金水桥南面矗立着一对汉白玉华表，雕刻精致的柱体在蔚蓝色的晴空衬托下，显得修长妍丽。华表在中国有着悠久的历史。传说，远在帝尧时代就已存在，"尧设诽谤木，禽之华表木也"，就是在木柱上安一横木，意思是让普通老百姓提意见，以表示君主能虚心纳谏。天安门前的华表建于明代永乐年间，距今已有500多年历史，每个重20吨。在天安门后边也有一对相同的华表，只不过方向正好相反，承露盘上的犼面向北方而立。

正阳门

正阳门，俗称前门，在天安门广场南端，是明、清两代北京内城的正门，得名于"圣方当阳，日至中天，万国瞻仰"的意思。

正阳门是当时全城最高的建筑，在北京城门楼中工艺也最为精湛，由南面的瓮城箭楼和北面的正楼两部分组成。箭楼有两重飞檐，四层箭窗，首层平台围有汉白玉石栏，琉璃瓦顶飞龙翘首，神态逼真。正楼三重飞檐，两层楼阁，朱红的梁柱上饰以金桦彩云，屋脊高约42米，巍峨雄伟。正阳门箭楼与其它箭楼不同的是楼后又挑出一个檐子，即重檐。经过几次维修，如今的正阳门越发显得金碧辉煌。

专家指点

天安门的红色墩台，以每块重达43千克的大砖砌成。墩台上的城楼大殿东西宽九间、南北深五间，用"九五"之数，是取帝王为"九五"之尊，至高无上的含意。天安门城楼的设计者是江苏吴县人蒯祥，他被时人誉为"蒯鲁班"。

节日中的天安门城楼

人民英雄纪念碑

人民英雄纪念碑耸立在天安门广场中心,是为纪念一百多年来在人民革命斗争中牺牲的英雄而建立的。1952年8月1日开工建造,1958年5月1日落成。碑的正面是毛泽东亲笔题写的"人民英雄永垂不朽"八个鎏金大字,碑的背面是周恩来题写的碑文。

纪念碑通高37.94米,四面有台阶和汉白玉栏杆,下层须弥座四面镶嵌着10块巨大的汉白玉浮雕。整座纪念碑用1.7万余块花岗石和汉白玉砌成,庄严肃穆,雄伟壮观。

毛主席纪念堂

毛主席纪念堂位于天安门广场南部。1976年11月开工,1979年8月落成,为安放毛泽东遗体而建。纪念堂由北大厅、瞻仰厅、南大厅组成。整体是方形大厦,建筑面积2万多平方米,高33.6米,花岗石砌成的基座上屹立着44根花岗石廊柱,屋顶为黄琉璃重檐,具有民族风格。整个建筑气势宏伟,庄严肃穆。

中国历史博物馆和中国革命博物馆

两博物馆位于天安门广场东侧，建于1959年。两馆合成一座雄伟建筑，总面积6.5万多平方米。中国历史博物馆内展有"中国通史陈列"，按中国社会历史发展过程，分为原始社会、奴隶社会、封建社会、半殖民地半封建社会和旧民主主义革命时期四个部分。中国革命博物馆，陈列展品3300多件，收藏"五四"运动和中国共产党成立以来的革命文物及党史文献资料，其中主要是中国共产党党史的陈列。馆内还有举办专题展览的两个大厅，陈列老一辈革命家的光辉事迹展览。

庄严肃穆升国旗

从1983年起，每天总有三名武警战士准时从天安门城楼拱形大门里气宇轩昂地走出，在千万双肃穆的眼睛注视下，伴随着朝阳将国旗升起。逢"1"，即每月的1日、11日、21日、31日及重大的节日，升国旗时有乐队演奏。

人民大会堂

人民大会堂在天安门广场西侧，正门面对广场，是全国人民代表大会开会和人大常设机构的所在地，建筑面积17.18万平方米，高40多米，上有黄、绿色琉璃屋檐，前有12根25米高的大理石柱，门上方悬挂着国徽，宏伟壮丽，庄严肃穆。进门是中央大厅，迎面是万人大会堂，北侧是5000人宴会大厅，南侧是人大常务委员会办公楼。大会堂内还有以各省、市、自治区命名的厅室，富有地方特色。大会堂为国家领导人迎接外宾，举行大型宴会和大型文艺演出之处。

故宫

北京城的中心，有一组金碧辉煌的建筑群。这就是世界上现存规模最大、保存最完整的帝王宫殿——紫禁城，现称故宫博物院。1987年，联合国教科文组织将故宫列为"世界文化遗产"之一。

太和殿

故宫的"太和殿"、"中和殿"、"保和殿"，俗称三大殿，是故宫中轴线上的主要建筑。太和殿就是人们俗称的"金銮殿"，面阔11间、进深5间，殿内共有72根楠木柱，重檐四阿庑殿顶，彩画双龙合玺大点金。这种建筑形式是封建社会最尊贵的形式，大殿通高37.44米，是我国现存最大的木结构建筑物。太和殿内有6根蟠龙金漆柱，中设楠木金漆雕龙宝座。太和殿旧时是皇帝登基之地，明、清两代的皇帝即在此宣读即位诏书。当时每年元旦、冬至、万寿(皇帝生日)三大节日及册立皇后、派将出征、金殿传胪时，皇帝都要在这里举行仪式接受百官朝贺。

太和殿殿顶正中为穹隆圆顶，称藻井，有镇压火灾之意。井内巨龙蟠卧，口中衔的宝珠叫轩辕镜，相传是中国远古时黄帝所造，以示皇帝正统。镜下本应正对宝座，但现在并不是这样，据说袁世凯害怕大圆球掉下会将他砸死，故将宝座后移。

"紫禁城"名称的由来

紫禁城是明、清两代的皇宫，先后有24位皇帝曾在此居住，其名得于紫微星垣。中国古代天文学家将恒星分为三垣、二十八宿和其他星座。三垣为太微垣、紫微垣和天市垣，紫微垣在三垣中央，因此是代表天帝的星座。天帝至高无上，而人间的皇帝也是至尊的，所以皇帝的宫殿即被命名为紫禁城。

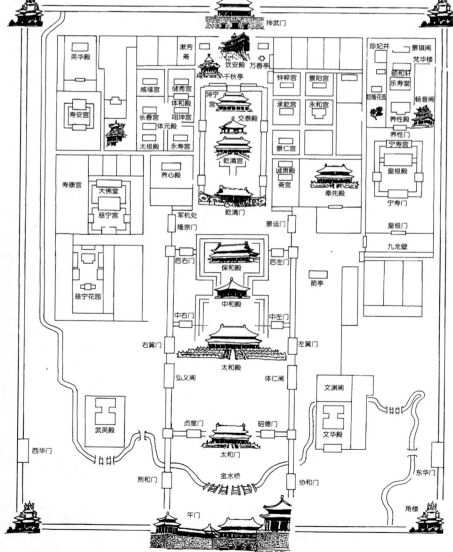

中和殿

　　中和殿在太和殿之后,是一座单檐四角攒尖鎏金宝顶的方形殿宇。皇帝在举行大典之前先到中和殿暂坐,受官员行礼后再去太和殿。每逢坛庙祭祀,皇帝要在中和殿读祭文。二月去先农坛演耕的前一天,要在这里验看种子、农具和祝文。

保和殿

　　保和殿在中和殿之后,广9间,深5间,重檐九脊歇山顶。明代册立皇后、太子时,大臣上表,皇帝在此殿受贺。清代每年正月初一和十五在这里宴请蒙古王公大臣。公主下嫁时皇帝亦在此宴请三品以上大员。

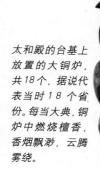

太和殿的台基上放置的大铜炉,共18个,据说代表当时18个省份。每当大典,铜炉中燃烧檀香,香烟飘渺,云腾雾绕。

故宫房屋的传说
民间传说故宫有房屋9999间半。为什么不凑成一万间呢?原来,传说天上玉帝所居天宫有房一万间,皇帝为天子,不能逾天宫之制,所以减了半间。这半间指的就是文华殿后文渊阁西侧的楼梯间。

保和殿后的云龙石雕是宫内最大石雕,它以整块艾叶青石雕成,长16.75米,宽3.07米,厚1.07米,重250吨。

太和殿须弥座那些伸出的兽头叫螭首,口中小孔为出水孔。太和殿共有螭首1142个,如遇雨天,可见千龙吐水之奇观。

乾清宫

乾清宫是皇帝的寝宫和日常生活的场所，有暖阁9间，每间设床3张，共27张。皇帝可任选入寝，目的是防止被人暗害。清代雍正皇帝移居西宫养心殿之后，乾清宫便成了举行内廷典礼、引见官员的地方。每年元旦、灯节、端午、中秋、冬至和万寿等节日，都要在这里举行内朝礼和赐皇族家宴。光绪年间，皇帝曾在此接见过英、法、美、日、俄、奥、葡等国使节。

清世宗爱新觉罗·胤禛，为圣祖第四子。民间传说，他是篡改遗诏而登上皇位的。

三宫六院

故宫三大殿后为内廷，是帝后生活和居住的地方。内廷门户众多，但以在中轴线中象征"天地乾坤"的乾清宫、交泰殿、坤宁宫为中心，两侧配以象征日月的日精门和月华门，象征十二星辰的东西六宫，以及象征众星的数组建筑，成为众星捧月之势，这即是人们俗称的"三宫六院"。

"正大光明"匾位于乾清宫内宝座正上方，"正大光明"意为公正、光明磊落。这块匾与秘密立储有关系。皇帝生前，亲自从皇子中选皇太子，不予宣布，而是由皇帝秘密亲书预立皇太子名字的"御书"，密封匣内，藏于此匾后。等皇帝死后，由众大臣按御书嗣帝。

坤宁宫

坤宁宫建于明永乐年间，清代按满族风俗予以重建，格局依照沈阳清故宫清宁宫的样式。明代此处设有秋千，清明时节妃嫔们游戏于此。坤宁宫原为明、清两朝皇后的寝宫，后雍正迁居后，皇后也由坤宁宫迁往体顺堂。

乾清宫前的鎏金铜亭，又称江山社稷金殿。金殿的层檐为圆形攒头，上安宝顶，象征江山社稷、国家政权都掌握在皇帝手中。

乾清宫门左边的雌狮，爪下躺着一小狮，表示亲昵、母爱。

坤宁宫东暖阁为皇帝大婚之所，阁内设有龙凤喜床，按清制婚后皇帝、皇后只能在喜床上住两夜，第三天皇帝回养心殿，皇后回体顺堂。

午门

午门是紫禁城中最宏伟的门楼，高 35.6 米，平面呈"凹"字形，中间有壁门，左右各有掖门，门上有崇楼 5 座，东西 4 座各以廊庑相联，辅翼正楼，形如雁翅，故又俗称五凤楼。

明清两代在午门举行的活动很多，除了颁诏宣旨外，还在午门举行颁发历书仪式，将第二年的历书，分别献给皇帝、皇后、皇贵妃、贵妃、妃、嫔、王公、大臣等，叫"颁朔之礼"。

明清两代出兵打了胜仗，收兵回朝时，都在午门举行献俘仪式，皇帝要亲临午门主持，受"献俘之礼"。

珍妃井位于景仁宫内。戊戌变法后，珍妃因支持光绪帝实施新政被打入冷宫，1900 年慈禧外逃时，命太监将她推入此井中。

出入午门的礼制

出入午门都有严格的礼制规定：当中的正门门洞，平时只有皇帝才能出入；皇帝大婚时，皇后可以进一次；殿试考中状元、榜眼、探花的三人可以走出一次。在清代，文武大臣出入左侧门，宗室王公出入右侧门。左右掖门平时不开，皇帝在外朝举行大典时，文武百官才由两掖门出入。

角楼

　　紫禁城城墙的四角，矗立着四座精巧别致的角楼。角楼造型优美，玲珑俏丽，金光闪闪的宝顶，三层飞檐上的金黄色琉璃瓦，朱红色的明柱和窗扉，蓝绿色的彩画，相互辉映，交织在一起，增加了绮丽神奇之感。令人称奇的是，角楼的结构复杂迷离，它有成千上万个构件，卯榫相连，严丝合缝，确实是巧夺天工的杰作。

　　"推出午门斩首"果真有其事吗？

　　俗语有云："推出午门斩首"，其实，紫禁城之内从不斩人，明朝斩人于西市，清朝则在菜市口。但明朝大臣如触怒皇帝被批"逆鳞"者，均要受"廷杖"，就是棍击屁股，行刑地点在午门路东侧，最初此刑只是象征性的责打，但后来发展到打人致死。

储秀宫是明、清两代后妃居住的地方，慈禧和末代皇后婉容曾在此居住过。

御花园

　　出坤宁门，就是面积12000多平方米的御花园。它以钦安殿为中心，左右对称，前后呼应，分布着十余座亭台楼阁，曲池水榭，其间点缀着苍松翠柏、奇花异石，构成了一座美丽的宫廷花园。

北海与景山

走出故宫的神武门，欣赏过金碧辉煌的紫禁城，迎面而来的便是北海和景山的一片翠绿。

北海

北海公园原是辽、金、元、明、清历代封建帝王的御花园，总面积68.2公顷，其中水面占一半以上。

北海公园的主要景点由三部分组成。南部以团城为主要景区，中部以琼华岛上的永安寺、白塔、悦心殿等为主要景点，北部则以五龙亭、小西天、静心斋为重点。

琼华岛位于北海公园太液池南部，岛上建筑依山势布局，高低错落有致，掩映于苍松翠柏之中。东面建筑不多，但树林成荫，景色幽静，别具一格。清乾隆写的"琼岛春荫"石碑，竖立在绿荫深处，是燕京八景之一。

北海公园内的白塔高35.9米。塔身内有一根高30米的通天柱，柱顶的经盒内盛有2粒舍利子。

景山

　　北海东面是景山公园,这是北京城内的最高点,南面与故宫神武门相对,是俯瞰北京城区,尤其是观赏紫禁城全景的最好地点。

　　景山之上建有万春亭,站在亭上,可以观赏全城景观:向北可见笔直的地安门大街,挺拔的钟鼓楼雄峙大街的北端;东眺,雍和宫、国子监和孔庙在阳光下金碧辉煌;西望,琼岛白塔耸立在碧波之上,湖中游船如织,一片祥和;南面可以俯视故宫的琉璃屋瓦、殿堂楼阁。

团城

　　团城位于北海公园南门西侧,享有"北京城中之城"之称。团城处于故宫、景山、中南海和北海之间。四周风光如画,苍松翠柏,碧瓦朱垣,是优美的风景区。

景山老槐

景山东麓,原有一株向东倾斜的低矮老槐树,这是明崇祯帝朱由检上吊的地方。1644年3月,李自成攻进北京,19日拂晓,朱由检失魂落魄地奔至景山,自觉有愧于祖先,以腰带自尽于槐树之上。此槐已毁于动乱之中。

五龙亭是位于北海湖边的5座亭子,它们是明清两代帝后钓鱼、赏月、观焰火的地方。

天坛

天坛是我国现存最大的一处坛庙建筑，距今已有500多年的历史。天坛是明清两代皇帝祭天之地，每年"三孟"祭天，即孟春祈谷、孟夏祈雨、孟冬祀天，一般人绝不能随便出入。天坛内的主要建筑有祈年殿、皇穹宇和圜丘坛。

> **专家指点**
>
> 从天坛西门出来，可顺便到先农坛和天桥游览。先农坛现已辟为中国古代建筑博物馆；位于天桥的天桥乐茶园再现了老北京人的娱乐生活，可以在这里品北京风味小吃，看各种民俗表演。

祈年殿中有4根龙井柱，象征1年4季；中层金柱12根，象征1年12个月；殿顶周长30丈，表示1月30天。

祈年殿

祈年殿是一座三重檐的圆形大殿，它代表了中国古代建筑艺术上成就最突出的木结构建筑。

祈年殿殿高38米，直径30米，三层殿顶均覆以深蓝色琉璃瓦，呈放射状，逐次收缩向上，给人拔地而起、高耸入云之感。蓝色象征蓝天。大殿全部采用木结构，柱身沥粉堆金，金碧辉煌。

祈年殿前身为大祀殿，是祭祀天地神的地方。乾隆时大修后改为祈年殿，专祀"皇天上帝"，因此大殿按敬天礼神的规格而建。

皇穹宇

皇穹宇是供奉皇天上帝和皇帝祖先牌位的地方，建筑风格也是以圆形为基调，以宝顶为圆心向外扩展。殿内斗拱层层上叠，天花板层层收缩，形成美丽的窿穹圆顶。殿内彩画以青绿为基调，以金龙为主要图案，或描金、或沥粉贴金，显得辉煌华丽，有很高的艺术价值。

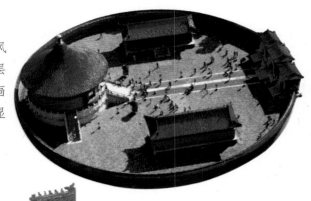

三音石

皇穹宇殿前到大门中间有一条石路，由北向南数第三块石板就是能产生"人间私语，天闻若雷"现象的三音石。站在石上击掌一声可以听到回音三声，但这种效果不是任何时候都能产生的。当人站在这块石板上，把殿门打开，全殿门窗关闭，在殿门到殿内正北神龛之间没有任何障碍物，然后对殿门说话，才可以听到二三声回音。

回音壁

皇穹宇外面呈圆形的墙壁叫"回音壁"，又叫传声墙，是天坛内最有趣的地方。墙的弧度十分规则，表面极其光滑，对声波的折射比较规则。两个人分站东西两端，一方对壁说话，声波就会沿壁折射前进，一直传到100多米外的另一端，如打电话一般。

圜丘坛

圜丘坛位于天坛的南端，是当年皇帝在冬至日祭天的场所，又称"祭天台"。它是由汉白玉砌成的5米多高的三层露天圆台。它置在外方内圆的两重围墙里，象征"天圆地方"的说法。

圜丘坛共分三层：最上层代表天，中层代表地，底层代表人。圜丘坛面铺的石板、砌的石台阶和环绕四周竖立的石栏的数目，均是九或九的倍数。因为古人认为"九"是最大的"阳数之极"，能象征至高无上的"天"。

皇家园林

　　北京西北郊的西山脚下海淀一带，泉泽遍野，群峰叠翠，山光水色，风景如画。从公元11世纪起，就开始在这里营建皇家园林，到800年后清朝结束时，园林总面积达到了1000多公顷，如此大面积的皇家园林世所仅见，其中又尤以颐和园和圆明园为其典范。

昆明湖东岸的铜牛铸于1755年，牛背上刻有乾隆帝手书《金牛铭》。据说当年大禹治水时，每治好一处就铸铜牛沉于水底镇压水患。唐代以后，改为将铜牛置于岸上。

铜牛的传说

传说铜牛是牛郎，西堤幽风桥住着织女（那里原有耕织图和机织房），二人以"天河"（昆明湖）相隔。七夕时铜牛跌入水中向织女奔去，慈禧忙命以铁链将铜牛锁住，尽管如此，铜牛还是挣断了尾巴。

颐和园

　　颐和园位于北京西北郊，是我国现存最完整、规模最大的一座皇家园林。

　　公元1750年，乾隆皇帝在这里建清漪园。1860年，清漪园被英法联军焚毁。1888年，慈禧太后挪用海军军费重建，改为今名。

　　这座巨大的园林依山面水，占地290公顷，主要由万寿山和昆明湖组成。万寿山是西山余脉，古称金山、瓮山。昆明湖约占全园面积的3/4，湖的四周点缀着各种建筑物，湖中有一座南湖岛，由一座美丽的十七孔桥和岸上相连。在湖的西部，有一西堤，堤上修有六座造型优美的桥。

仁寿殿

"仁寿殿",原名"勤政殿",是皇帝处理政务的地方,仁寿殿中间的高台称地平床,上设屏风(紫檀木雕制,顶有金色闹龙九条,中间玻璃框上有226个不同写法的"寿"字)、宝座(慈禧和光绪所用)、掌扇(古由宫女执掌,宋代以后置于宝座后面架上)、甪端(独角怪兽,实为熏香用的铜炉)、鼎炉(焚烧木炭的取暖器)、鹤灯(点蜡用的大烛台)。大殿内南北两端各有暖阁,是上朝时太后和皇帝休息的地方。壁上悬挂有大"寿"字,绘有蝙蝠和彩云图案,意为"百蝠(福)捧寿"。

德和园

德和园,其前身是"怡寿堂",被英法联军焚毁后,由慈禧太后花71万两银子重建,是一组以大戏台为主的建筑群。大戏台高21米、宽17米,有上、中、下三层,是清代所盖三个大戏台中最大的一个(其他两个是故宫"畅音阁"和承德"清音阁")。大戏台结构奇巧精致,第一层舞台顶板上备有绞车和7个"天井",扮演神仙的演员可从天而降。舞台地板还有"地井",供扮鬼魂的演员出入。舞台底部有水井和5个方池,配合剧情可引水上台,效果极为壮观。每年西太后做寿,三层舞台要演出相同的吉祥戏,著名演员有谭鑫培、杨小楼、刘赶三等人。

长廊

长廊始建于1750年,现为被英法联军烧毁后重新修建的,全长728米,是中国园林建筑中最长的游廊。它沿着昆明湖北岸向西伸展,像一条玉带将远山近水和各种建筑连在一起。颐和园建筑多而不乱,很大原因就在于这条长廊。长廊的每根栋梁上都绘有彩画,总计14000多幅。彩画取材于历史故事、神话传说、戏剧曲艺等,还有山水、花鸟、虫鱼等写意画,内容不一,形态各异,栩栩如生,故有"画廊"之称。

佛香阁

佛香阁建筑在60多米高的万寿山山坡上，阁高41米，外形按武昌黄鹤楼设计，始建于乾隆时代。佛香阁是颐和园的标志，也是我国古建精品之一，有很高的建筑艺术价值。

佛香阁往上是颐和园的制高建筑"智慧海"，俗称"无梁殿"，内部结构以纵横交错的拱券支撑顶部，不用枋梁承重。该殿无木料，得以逃过1860年的大火，但殿中佛像及殿外壁上千余尊小佛像却被列强盗走。

石舫

石舫是乾隆引用唐代谏臣魏征所说"水能载舟，亦能覆舟"的故事而建造的，象征"永不能覆"的清王朝。舫体以大理石雕成，上面原为中式楼阁。1860年被烧毁后改建为洋式舱楼，名之清晏舫，取意"河清海晏"。舫体有4个龙头突出在外，下雨时龙头就吐出水来，颇为壮观。这里原是明代放生台，清代改为船形后，每年四月初八浴佛日，乾隆仍要陪其生母在这里放生。

十七孔桥

万寿山以南就是碧波荡漾的昆明湖，西部有仿杭州苏堤而建的西堤。与西堤相接的东堤是一道石造长堤，其中段是形若彩虹的"十七孔桥"。此桥仿卢沟桥而建，长150米、宽8米，望柱上有神态各异的石狮544只，从中间一孔向两边数去都是九孔，"九"在古代是"数之极"，只有皇帝才能使用。

苏州街位于万寿山的后山。旧时街上有各式店铺、商人和店员，皆由太监和宫女装扮，每当皇帝游幸时即煞有介事地进行交易，以博得统治者的欢心。1860年买卖街被全部烧毁，直到近几年才基本恢复了往日的风貌。

圆明园遗址

　　位于海淀区东部的圆明园遗址，原为清代一座大型皇家御苑，它与附园长春园、绮春园合称圆明三园。圆明园在清康熙四十八年（1709年）为皇四子胤禛的赐园，后经重修扩建，乾隆三十五年（1770年）已基本建成。嘉庆、道光、咸丰各代屡有增修。长春园北部还建有一组园林化的欧洲式宫苑，俗称西洋楼。园内还收藏有极为丰富的图书字画、文物珍宝，堪称文化艺术宝库，被西方誉为"万园之园"。咸丰十年（1860年）英法联军劫掠园中珍宝，并纵火焚毁，仅存长春园西洋楼的部分石雕残迹。现今已建成福海景区、万春园景区和长春园"万光阵"迷宫，并建立国史纪念馆，成为一座遗址公园。

观水法

观水法在圆明园西洋楼远瀛观南端，是清乾隆帝观看喷水景色之地，包括放置皇帝宝座的台基和宝座后的石雕屏风及两侧的巴洛克式石门等。咸丰十年（1860年）被英法联军破坏。宣统二年（1910年）残存的石屏风雕花石心被载涛运往朗润园内，1977年运回原处。

西洋楼

　　西洋楼在圆明园东北部的长春园北端，是仿瑞士、法国宫殿的风格建筑的一座欧式宫苑，占地6.7万平方米。始建于清乾隆十二年（1747年），至乾隆二十四年(1759年)完成。主要景区有谐奇趣、线法桥、蓄水楼、养雀笼、黄花阵（万花阵）、方外观、五竹亭、海晏堂等。咸丰十年（1860年）被英法联军破坏，今仅存残迹。

西山胜景

北京西山，是太行山脉的一支，它宛如腾蛟起莽，在西方遥遥护卫着北京城。西山林海苍茫，烟光岚影，四时俱胜，古人描述说："西山春夏之交，晴云碧树，花气鸟声；秋则乱叶飘丹；冬则积雪凝素。种种奇致，皆足赏心。"就在这绚丽多娇的西山群峰之间，点缀着许许多多充满诗情画意的风景名胜和文物古迹。

香山秋色

香山公园地处西山东麓，总面积2400余亩。这里山势奇异、林木茂盛、涌泉溪流、幽静清雅，有"山林公园"之称。香山很早以前就是北京著名的风景区，金代"燕京八景"中"西山晴雪"一景，其观景点就在香山西北部的半山腰处。每当雪后初霁，凭高临远，但见玉峰列岫、树树梨花、重重瑶宇，真是气象万千，分外妖娆。乾隆帝所题"西山晴雪"碑石尚立此处。

香山最美的时节要数秋天，届时千峰叠翠、层林尽染，那里红叶与翠绿松柏相衬，好似绿坡上铺了赤红的地毯，显得格外绚丽多姿，香山红叶因此而成为北京的著名景观。俗称的红叶，实为黄栌树叶，据说是乾隆移植而来，如今香山上已有十万余株的黄栌林带。每年10月下旬到11月上旬是观赏香山红叶的最佳时节。

"香山"之名的来历

取名"香山"有几种说法：一说峰顶乳峰石状如香炉，晨昏之际，云遮雾绕，犹如炉中香烟，故名香炉山，简称香山；一说此山仿似江西庐山，李白名句："日照香炉生紫烟"，庐山有香炉峰，故仿称香山；一说古代香山曾是杏花山，每年春季杏花开放，清香四溢，故称香山。

铜佛全身部位匀称，体态自如，佛装线条流畅，制作精细，是一件不可多得的艺术佳品。铜佛神态安祥，极好地表现了释迦牟尼"大彻大悟，心安理得"的内心世界。

卧佛寺

香山公园附近的卧佛寺始建于唐贞观年间，距今已有1300年历史，称"兜率寺"，供有香檀雕制的卧佛。清雍正时改称"十方普觉寺"，因为寺内有一尊释迦牟尼侧卧的佛像，所以俗称"卧佛寺"。

正殿两厢塑有十八罗汉，其中东南角有一尊相传是乾隆像，因此与其他出家打扮的罗汉像大不一样，穿靴戴帽，卓尔不群。殿中有铜卧佛一尊，与身后十二"圆觉"塑像构成一组群像，叙述了如来佛涅槃于娑罗树下之前，向十二弟子嘱托后事的故事。

八大处

　　八大处位于西山群峰之中，西为翠微山，因明代有翠微公主葬于此而得名；北为平坡山，因山中有平地而得名；东为卢师山，以山中秘魔崖曾有卢姓僧人居住，故名。八大处指的是高下参差分布在这三山中的八座古刹。这里风景优美，尤以自然野趣名冠京师，是北京著名的游览区。

　　一处长安寺在翠微山东麓，始建于明代，初名"善应寺"，康熙时重修；二处灵光寺始建于1200多年以前的唐代大历年间，因藏有"佛牙"而出名；三处三山庵风景如画，有一被称为"水云石"的汉白玉门道石；四处大悲寺为康熙赐名，曾是天下僧众向往的地方；五处龙王堂又名"龙泉庵"，景致绝佳；六处香界寺是八大处的重点寺院；七处宝珠洞是八大处中最高的一座寺院；八处证果寺是八大处中历史最悠久的一座寺院，最有名的是秘魔崖。

卢沟桥

　　卢沟桥位于北京西南部，因横跨卢沟而得名，建于1189年，至今已有800多年的历史。"卢沟晓月"是著名的景致。卢沟桥全长266.5米、面宽8米，为石砌连续圆拱桥，是华北最大的石拱桥。11个拱券洞门悠悠卧在波涛之上，每个桥墩前的分水尖及其上的三角铁柱，像一把利剑伸向兴风作浪的蘖蛟，迫使它驯服地从洞门流过，因此俗称斩龙剑。桥墩顺水一面做成流线型向内收进，使水流一出就可以分散，减少了券洞内水流的挤压力。这在当时是一种了不起的创造。

　　人们一直用"卢沟桥的狮子数不清"来形容桥上石狮之多。卢沟桥上的石狮到底有多少呢？有485个。令人赞叹的是，每一个都是互不相同的！在西方，卢沟桥是和马可·波罗的名字联在一起的，叫"马可·波罗桥"。正是这位意大利旅行家第一次向欧洲介绍了卢沟桥，在他著名的游记中称这座美丽的石桥是"世界上最好的、独一无二的"。

名刹古寺

北京作为中国的七大古都之一，古迹之多、山水之胜、园林之美，在世界上久负盛名。北京除了有巍峨的宫殿、优美的园林，还有庄严肃穆的寺庙吸引着无数的游人，而最有特色的则要数雍和宫、白云观等名刹古寺。

雍和宫

雍和宫位于北京城的东北角，占地6.6万平方米，是北京规模最大、保存最为完好的喇嘛教寺院。雍和宫建于1694年，原是清康熙皇帝四子胤禛的官邸，当时称"雍亲王府"。胤禛继承皇位为雍正帝，将雍亲王府改为行宫，称"雍和宫"。

1744年正式将雍和宫改建成喇嘛庙，并从蒙古招来500名喇嘛入居。此后，雍和宫屡加修建，最终形成了现在的规模。

雍和宫的全部建筑严格按照南北中轴线建造，相互对称，寺院本身自南向北逐渐升高，这种阶梯式的构造恰当地显示了它浓厚的宗教气氛。

万福阁

法轮殿，喇嘛们做佛事和诵经的地方，采取的是藏族寺院传统的建筑形式。

永佑殿

雍和宫正殿

八角形碑亭

昭泰门

三世铜佛

雍和宫正殿原称银安殿，是雍亲王召见文武官员的场所。现在殿中供奉2.8米高的三世铜佛，中间是"释迦"，现在佛；西边是"燃灯"，过去佛；东边是"弥勒"，未来佛。大殿两侧有十八罗汉，形体大小逼似真人，传说释迦传教时曾有意度化16个大阿罗汉，命他们常留人世宣扬佛法。佛教传入中国时又加两位，变作十八罗汉。

专家指点

雍和宫以前在每年旧历正月三十日到三月初一期间举办黄教"跳布扎"(俗称"打鬼")宗教活动。近几年，作为一个旅游项目，"打鬼"活动再度恢复。

万福阁大殿

雍和宫内的万福阁大殿共分三层，每层均供奉有若干小佛像，总计达万尊之多，因汉文"佛"与"福"音近，因此名之"万福阁"。跨进大殿，就看到了耸立的未来佛弥勒的站像，也就是俗称的"大佛"。此像露于地面上的垂直高度为18米，地下还埋有8米，直径8米，手持哈达，体态雄伟，以一根完整的白檀香木雕制而成，外表全部饰金。

法轮殿正中有黄教创始人"宗喀巴大师"的铜质佛像，高约9.9米，脸部与手臂均以真金装饰，璀璨耀眼。

为适应民俗节庆，活跃人们的文化生活，自1987年起白云观恢复了传统的庙会，至今年年举办。届时，各种小吃荟萃庙前，踩高跷、扭秧歌等民间传统活动为庙会营造出热烈的气氛。

白云观

坐落在北京西便门外的白云观，不仅是北京最大的道观，而且还是我国古代北方道教的中心，有"全真第一丛林"之称。

白云观原为埋葬邱处机遗蜕而创建的。1227年邱处机去世，他的弟子尹志平修建了"白云观"，后经明、清两代多次修缮，终成现在的格局。白云观，不仅以侈丽瑰伟冠绝燕京，其庙会更以开放时间长、香火最旺、最具特色而享誉京城。

大钟寺

大钟寺原名"觉生寺"，乾隆八年（1743年）冬，从万寿寺运来一口大钟，始改今名。

大钟寺位于北京北三环西路，始建于清雍正十一年（1733年），有山门、天王殿、大雄宝殿、观音菩萨殿、藏经楼、和大钟殿等六进殿宇，正殿两侧有钟楼、鼓楼、配殿、配房及跨院等建筑，是北京市现存规模较大的一座布局完整的清代寺院。

大钟寺著名的大钟悬挂在后楼大钟殿上，楼高16.7米，上圆下方，四面有窗。钟为铜制，相传是明代永乐年间成祖朱棣下令，由姚广孝在北京鼓楼西铸钟厂铸造的，距今已有500多年历史。大钟通高6.75米、外径3.3米、厚0.22米、重46.5吨，为明代京师的镇物。如此巨大的铜钟，仅用一根小穿钉悬挂于梁上，实为世所罕见。钟体内外铸有朱棣御制的佛经7部，佛教经咒100多项，共计230184字，全部以楷书书写，字体工整，相传是明代书法家沈度的手笔。

永乐大钟

碧云寺

碧云寺是西山最雄伟壮丽的一座古老寺院，始建于元朝至顺二年（1331年），时称碧云庵。明正德年间，太监于经看中了这块风水宝地，大兴土木，扩建为寺，并在寺后修建坟墓，做为死后葬身之所。嘉靖初年，于经获罪身死，心愿未偿。天启年间，权监魏忠贤又大修碧云寺，在墓地两侧布列了刻工精美的石雕，也想葬身于此，但他作恶多端，自缢后被分尸悬首，其党羽将他的衣冠葬于墓中，康熙年间被平毁。清乾隆十三年（1748年），又进一步重修扩建碧云寺，最终形成了现在的规模。这里有"济公活佛像"、"孙中山先生衣冠冢"、"九龙柏"等令中外人士称赞的人文、自然景致。

碧云寺建筑依山顺势向上排列，重重殿宇层层高起，直达山巅，给人曲折多变之感。肃穆的庙宇又与周围的山林景色相映成趣，置身其中，恍若入仙境，真是"步入碧云地，忘却在人间"。

潭柘寺

潭柘寺，又名"岫云寺"，位于京西门头沟区东南部、太行山余脉宝珠峰南麓，因庙后有龙潭，庙前有柘树，山名潭柘山，寺也就被称为潭柘寺，它是北京郊区最大的一座寺院。潭柘寺历史极为悠久，曾有"先有潭柘，后有幽州"的说法，这就是说它比北京城历史还要悠久，据记载，潭柘寺前身是晋代嘉福寺，距今已有1700多年，而北京城如果从元大都开始算起，大约比潭柘寺晚了800多年。

潭柘寺后有九峰环抱，前有如巨大屏风的山峰，俗语"前有照，后有靠，左右有抱"描述的就是它的地理位置。寺院坐北朝南，主要建筑分东、中、西三部分。其天王殿前有一口铜锅，是和尚们煮饭所用，其直径4米、深2米，一次煮粥能放米10石，需16个小时才能煮熟。由于锅大底厚，文火慢熬，故而熬出的粥既粘且香。关于这两口锅，还有"漏砂不漏米"之说，随着熬粥时的不断搅动，砂石会沉入锅底的凹陷处。

永乐大钟

永乐大钟铸造规整，造型精美，形体宏伟。其振动频率极为丰富，与音乐的标准音高频率相差无几，因此钟声纯厚绵长、圆润宏亮、节奏明快、穿透力强。据测定，大钟的声音可传40~50公里。在世界大钟之林中，此钟以其悠久的历史、灿烂的书法艺术、高超的铸造工艺、第一流的声学特性，以及高超的力学结构而驰名中外，被人誉为"古钟之王"。

戒台寺

与潭柘寺毗邻的戒台寺原名"慧聚寺"，创建于唐武德五年（公元622年），寺院名声始震是在辽咸雍五年（公元1069年），高僧法均在寺内修建戒台，于是受戒者纷至沓来。后经多次扩修，始成今日规模。寺内最有名的要数坛台和古松。坛台在北院，刻有数百个戒神及释迦牟尼像。古诗云："潭柘以泉胜，戒台以松名，一树具一态，巧与造物争。"戒台寺松树极多，每当微风徐来，松涛阵阵，形成了特有的"戒台松涛"景观。

长城雄关

举世闻名的万里长城，是我国古代一项伟大的军事建筑。自古以来，万里长城挡住了无数次北方游牧民族的侵扰，经历了千百年的风霜雨雪，目睹了朝代更迭和人间沧桑。长城是一部历史巨著，记录了中华民族的风风雨雨。登上长城，人们自然会想起"苏武牧羊"、"昭君出塞"、"文姬归汉"等悲壮故事；还会想到"白登之围"、"土木之变"等历史事件。

八达岭长城

八达岭长城位于北京西北60公里的延庆县境内，这里是万里长城的一个重要关口——居庸关的重要屏障，建筑在海拔600～1000米的山脊之上。其名称一说是"把鞑岭"，即防御鞑靼之意；另一说这里四通八达，南通北京，北去延庆，西往宣化、大同等，故名八达岭。为取其褒扬之意，人们多取后说。

八达岭长城的城墙，依山而筑，高低不一，宽窄不同，墙体平均高约7.8米，墙基平均宽约6.5米，墙顶平均宽5.8米，城面可容5匹马并骑，10人并进。在山势陡峭的地方，墙顶道路筑成梯形，称作"梯道"。八达岭长城上的梯道，从两山直泻峡谷，势如游龙啸天，巨蟒窜洞，长达千米，蔚为壮观。八达岭这段长城，在明长城中很有代表性，工程技术已经达到了较高的水平。

慕田峪长城

　　慕田峪长城位于北京东北隅的怀柔县境内，此段长城西接北京昌平县居庸关，东连北京密云县的古北口，自古以来就是护卫北京的军事要冲，被称为"危岭雄关"，其构筑形制和军事设施有着许多独特的风格和特点。

　　在慕田峪长城中，有段长城被称为"鹰飞倒仰"，这是慕田峪长城的一绝。墙体全部建在岩石裸露的悬崖峭壁上，梯道坡度大都在50℃左右，其中有一节甚至接近90℃，几近垂直，台阶仅有几指宽。当地人称，即使老鹰飞到此地也要翻身仰飞才能越过。

慕田峪长城的城墙顶上两边都建有矮墙垛口，可两面拒敌，外侧还挖掘有挡马坑，使防御功能更加完善。而八达岭和其他地方的长城，只在外侧筑有垛口，内侧是1米多高的女儿墙。

专家指点

北京每天都有从前门、北京站、宣武门、动物园发往八达岭长城、十三陵的旅游车。两个地方可以在一天内同时游览，即游览完长城之后可顺道游览明十三陵。慕田峪长城和司马台长城需另乘旅游车到达。

司马台长城

　　司马台长城位于密云县北77公里处，东起望京楼，西与金山岭长城相连，雄伟壮观。在这条长城的中段，有一个蓄水量5万立方米的司马台水库，长城从两面山上飞奔而来，如巨龙饮水，气势非凡。因司马台长城有山有水，故也有人称其为"司马台山水长城"。

　　司马台长城多建于陡峭如削的峰巅危崖之上，有的地方几乎垂直壁立，登长城犹如上"天梯"，只容独身攀登，与蜀道和古栈道有异曲同工之处。

十三陵

北京昌平县境内，有一处明代帝王陵墓群，这就是中外闻名的十三陵。十三陵东、西、北三面群山林立，如拱如屏，气势磅礴，雄伟壮观。南面龙山、虎山分列左右，如天然的门户，被喻为守卫园的"青龙"、"白虎"。陵园建筑具有宏伟壮观的唐代特色，每陵各居一山之下，中有神路沟通各陵，形成了一个主次分明、规模宏大的整体。

定陵中的缂丝十二章衮服（复制品）

定陵

定陵是十三陵中第一座被发掘的皇陵，它坐落在昭陵东北大峪口下的苍松翠柏之中。这座地下宫殿，距墓顶27米，分前后左右中5殿。其中最大的后殿是地宫中的主要部分，正面棺床上停放着万历皇帝及两位皇后的三口棺椁。

定陵中的金丝翼善冠

十三陵名称的由来

明代第一个皇帝朱元璋，定都南京，在位31年，死后葬在南京孝陵。第二个皇帝孝文帝在"靖难之役"后不知所终，至今仍是明史上的一桩悬案。自朱棣之后，13个明帝均葬于此，所以称为十三陵。

地宫中殿有三个汉白玉石宝座，旋转成品字形排列。座前各有一座琉璃五供，还设有青花云龙纹大瓷缸各一口，缸内装着香油，叫长明灯。

神路

神路，就是通往明十三陵的一条路。

走在神路上，穿过石牌坊和大宫门，就来到了碑亭。古人陵前立碑，一般是颂扬皇帝功德的，但十三陵各陵门前的石碑都是一字不着的无字碑。十三陵神道上的石像多仿孝陵而设，只是多了四勋臣。石雕的狮子、獬豸、骆驼、麒麟、马、象在神路两边，面面相对，雄壮生动。

石像古称"翁仲"。相传秦朝大将阮翁仲身材高大，力气过人，防犯匈奴有功，死后秦始皇为他铸铜像立于咸阳宫外，后人便统称为翁仲。神路上放置的石像，象征着文武百官。

獬豸，是神话中的异兽，头生一角，专触不正之人，古代法官，曾戴过獬豸冠，寓善辨邪正之意。

棱恩殿是祭陵时行祭典礼的场所，"棱恩"意为感恩受福，它与故宫内的太和殿，曲阜孔庙中的大成殿齐名。

长陵

长陵位于北京明十三陵天寿山主峰下，从十三陵神路一直向北即达。长陵是明成祖朱棣和他皇后的陵寝，为十三陵中最早和最大的一座。

专家指点

到十三陵旅游时，可以去附近的九龙游乐园逛逛。九龙游乐园是中国第一家具有迪斯尼特色的艺术观赏型游乐园，内有龙宫、水族馆、特特乐科幻探险馆、帐篷村、垂钓中心等。

博物馆游

山顶洞人复原像

说到游玩，人们总是想到名山大川、名胜古迹，其实还有一种更深层次的文化旅游，那就是博物馆游。

北京自然博物馆

北京自然博物馆位于北京市崇文区天桥南大街。1950年筹建，1958年建成对外开放。

该馆共有陈列面积3600平方米，藏有古生物、动物、植物、人类等方面的藏品近8万件。古生物展品中，有不少是稀世之宝，如恐龙中的上游永川龙、棘鼻青岛龙、杨氏鹦鹉嘴龙以及保存十分完好的恐龙蛋与恐龙足迹。其中晚侏罗纪肉食性的上游永川龙，体长约8米，体高4米；早白垩纪以植物、昆虫为食的杨氏鹦鹉嘴龙，只有70厘米大小；晚白垩纪以植物为食的棘鼻青岛龙，体长6.62米，身高4.9米。由国外交换来的珍贵藏品有：新西兰的大恐鸟化石、澳大利亚的懒树獭、针鼹、琴鸟以及非洲的拉蒂曼鱼。这些标本有的是化石，有的是活化石，在阐明生物进化中有重大的学术价值。

棘鼻青岛龙发现于山东白垩纪晚期的王氏组地层中。

首都博物馆

首都博物馆是综合性和地方志性的博物馆，设在国子监街的孔庙内。馆内收藏有数万件北京地区的历史文物。"北京简史陈列"有1000多件展品，介绍北京的历史发展概况。这里还经常主办有关北京历史和民俗等专题展览。

首都博物馆的藏品之一，陆子刚青玉卮。圆盖边缘凸雕有3个小卧狮，盖沿饰云纹。柄下有阳文篆书"子刚"2字，子刚即明代嘉靖、万历年间苏州琢玉名匠陆子刚。器物上署有作者姓名的玉器，甚为罕见。

中国人民革命军事博物馆

　　中国人民革命军事博物馆是中华人民共和国国庆十周年献礼的首都十大建筑之一，占地面积8万平方米。军事博物馆的陈列分为基本陈列和临时性专题展览两种。

　　基本陈列以中国军事历史为主线，展示了五千年来主要的军事事件、军事人物、军事论著、军事科技、兵器发展等。其中，以"兵器馆"最为引人入胜，它主要陈列中国古代兵器，我军在历次革命战争和在建国后海防、边防斗争中使用过的兵器和缴获兵器，以及我国自制的部分武器，共二千余件。兵器馆分八个单元："古代兵器"，"轻武器"，"火箭"，"坦克和装甲车"，"飞机"，"舰艇"，"导弹"以及"轻武器模拟射击室"。在轻武器模拟射击室里，设有手枪、步枪、冲锋枪、火箭筒、无坐力炮等的实际操作和瞄准练习。

中国航空博物馆

　　中国航空博物馆坐落在北京北郊昌平县大汤山脚下，是中国历史上第一座对公众开放的大型航空博物馆，是亚洲最大的航空珍品荟萃地。

　　该馆目前共展出有飞机，导弹、雷达、高炮等武器装备600余种。一期工程占地约20万平方米，由山洞大展厅、珍宝馆展厅和露天展区三部分组成。

　　山洞展厅中展品有复制的中国航空史上著名的飞机冯如二号、乐士义一号和列宁号。另有美国、原苏联、法国、日本、加拿大、捷克等国制造的多种型号飞机，如日本制造的99式高级教练机，原苏联制造的波－2、拉－9、拉－11、图－2、雅克－12，美国制造的P－51、L－5等飞机，均为世界航空史中的珍品。特别是近年从英国以交换形式获得的"鹞"式

在马岛战争中大显神威的英制"鹞"式战斗机，是当今世界上最成功的一代垂直起降战斗机。

（AV－8B）垂直起降战斗机，更是展品中的精品。

　　露天展区内有毛泽东、周恩来、朱德在五、六十年代乘坐过的飞机，斯大林送给毛泽东生日的礼物图－4重型轰炸机，在"驼峰空运"、建设西藏、边界反击战中屡建战功的C－46大型运输机，参加"两航"起义的康维尔－240、C－47，还有英国子爵式、图－124、三叉戟等大型客机。

　　此外，该馆还设有航空汽炮打靶、登机浏览、模拟飞行等航天游艺活动，让游客尽情嬉戏玩乐。

胡同与四合院

到了北京，你要是想品一品地道醇厚的京味儿文化，亲自感受一下北京人的真实生活，不妨先走进北京的胡同和四合院去瞧瞧。古老的胡同展示了北京文化的深邃，而四合院则像是北京民居的博物馆。

四合院门口的门礅别具特色，一般高级武官使用抱鼓型有狮子的门礅，低级武官使用抱鼓型有兽吻的门礅。

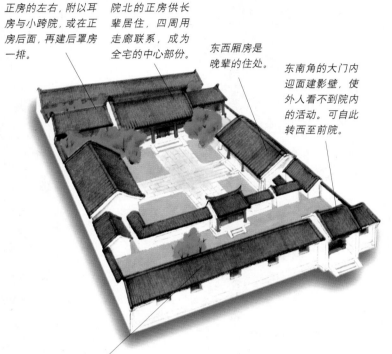

正房的左右，附以耳房与小跨院，或在正房后面，再建后罩房一排。

院北的正房供长辈居住，四周用走廊联系，成为全宅的中心部份。

东西厢房是晚辈的住处。

东南角的大门内迎面建影壁，使外人看不到院内的活动。可自此转西至前院。

南侧的倒座通常作客房、书塾、杂用间或男仆的住所。

北京四合院

四合院是北京人的传统住宅，就是东西南北四面建房，围出一个院子，院子坐北朝南，大门开在东门角上。住宅的四周，由各座房屋的后墙及围墙所封闭，一般对外不开窗，在院内栽植花木或陈设盆景，构成安静舒适的居住环境。大型住宅则在二门内以两个或两个以上的四合院向纵深方向排列，有的住宅在左右建有别院；有的在左右或后部营建有花园。

华丽的垂花门

京城胡同游

北京的街巷格局早在13世纪元世祖修大都时就已基本确定。古人曾用"有名胡同三百六，无名胡同如牛毛"来形容北京胡同之多。据统计，北京现有胡同6000多条。

北京胡同之最

- 历史最悠久的胡同是位于宣武门西，国华商场附近的三庙街。
- 最长的胡同是东西交民巷，它东起崇文门内大街，西至北新华街，全长6.5公里。
- 最短的胡同原名"一天大街"，长只有十几米，在琉璃厂东街的东南，现为杨梅竹斜街的西段。
- 最窄的胡同，位于前门大栅栏地区，其最窄处仅40厘米，仅容一人通行。
- 拐弯最多的胡同是位于北新桥附近的九道湾胡同，共有19道弯，极易迷路。

恭王府

清代，除皇帝及其家眷外，任何人不得住进紫禁城，皇亲国戚们都要建造自己的宅第为家居之所，于是，王府便产生了。今日北京城里有60余座清代王府，其中恭王府是保存最完整的一个，也是世界最大的四合院。

位于什刹海北岸的恭王府分为平行的东、中、西三路。中路的3座建筑是底邸的主体，一是大殿，二是后殿，三是延楼，延楼东西长160米，有40余间房屋。东路和西路各有3个院落，和中路建筑遥相呼应。王府的最后部分是花园，20多个景区各不相同。

恭王府的主人奕䜣，是最高等级的贵族，所以他的府邸不仅宽大，而且建筑格制也是最高的，明显的标志是门脸和房屋数量。亲王府是门脸5间，正殿7间，后殿5间，后寝7间，左右有配殿。低于亲王等级的王公府邸决不能多于这些数字。

特色街道

在都市的深处，活跃着一条条各具特色的街道。它们像一道亮丽的风景，点缀着都市风光。

琉璃厂文化街

在宣武区的琉璃厂，有一条古老的文化街。明初永乐年间，为修皇宫在此设厂烧制琉璃砖瓦，琉璃厂因而得名。

乾隆时修《四库全书》，全国文人聚集北京，多居于宣武门外，琉璃厂自此逐渐兴盛起来，成为文人汇集的场所。各地书商也纷纷进京，在琉璃厂一带经营，带动了文化图书市场的发展，此后，琉璃厂作为古书与文物的交易场所，日渐繁荣，至今已有200多年的历史。现在的琉璃厂文化街被和平门外大街分为东西两街，东以文物业为主，西以书业为主，经营的品种有古代书籍、历代字画、文房四宝、文物古玩、图章印泥、竹刻牙雕等。著名店铺有荣宝斋书画店、一得阁墨店、戴月轩湖笔店、萃文阁篆刻店、中国书店等。

前门"大栅栏"

大栅栏街原称廊房四条，距今已有500年的历史。明永乐时，为鼓励工商发展，在正阳门外设市场，修建"廊房"，招商开市。明嘉靖时，这一地区已发展成为有名的繁华闹市。清乾隆年间，在街道两端安置铁栅栏，故大栅栏沿袭成为街名。

琉璃厂西街上著名的荣宝斋，主要经营书画及文房四宝，其绝技"木版水印"闻名中外，用这种技术印刷出来的中国画可达到"乱真"的地步。

大栅栏商业街内，拥有许多家独具经营特点和代表性的老字号店铺，如同仁堂药店、马聚源帽店、瑞蚨祥绸缎皮货庄、内联升鞋店、南豫丰烟店等。

大栅栏的故事

北京前门外的大栅栏，北京人不叫它为"大栅(zhà)栏"，而是叫"大栅(shí)栏儿"。大栅栏街东西长不过300米，南北宽五六米，然而，就是在这么一条并不算大的商业街内，却蕴集了众多的老字号。大凡来北京旅游观光的人们都要来大栅栏游览一番。

酒吧一条街

　　酒吧一条街位于北京三里屯使馆区附近的一条胡同里,这里的酒吧比较集中,但规模都不是很大。酒吧的风格各异,或典雅浪漫,或热情奔放,其强烈的时代感和浓郁的异国情调吸引了众多中外客人,在北京的闲暇之余,你也不妨去走一走,领略一下酒吧一条街的独特风情。

老舍茶馆

位于北京前门西大街3号楼,是以著名作家老舍先生及其代表剧作《茶馆》来命名的,建于1988年。整座茶馆布置得古朴典雅、京味十足,演出的京剧、大鼓有着地道的京腔京韵;曲艺、杂技也穿插表演,演艺界名流荟萃其中。客人如有雅兴也可即兴登台客串,活动丰富,气氛热烈。到了老舍茶馆,除了品茗之外,还能品尝到各种宫廷细点及北京应季风味小吃。由于老舍茶馆有着十足的京味传统,已成为了中外客人来京的必游之处。

京城美食

"京菜"擅长烤、爆、烧、焖、涮，听起来豪爽，吃起来痛快。"北京烤鸭"是游客来京必食的美味，"烤肉宛"，"烤肉季"的烤肉，则是边烤边吃，别具情趣。

宫廷菜

宫廷菜是北京菜系中的一大支柱，体现了北京800年为都的历史特点。如果说盛行于民间的北京烤鸭，是一种典型的大众化食品，那么，源于皇宫内廷的宫廷菜，就有着十足的贵族血统，当时不是一般百姓所能吃到的。当然，时至今日，宫廷菜早已流入民间，虽然严格地保留着贵族风范，普通人却也能品味。

北京城中的宫廷菜馆很多，最为著名的是北海公园琼岛北侧的仿膳饭庄和颐和园内的听鹂馆餐厅。其中仿膳宫廷菜是比较完整的流传至今的宫廷菜，其特点是制作精细、色形讲究、味道醇鲜、软嫩清淡。

> **谭家菜**
>
> 如果说仿膳宫廷菜保留了清代皇室风味特点的话，那么谭家菜就是官府菜的典型。谭家菜的主要特点是博采众长，制法独树一帜。如今北京饭店特辟风味餐厅，专门经营谭家菜。到北京游览的贵客嘉宾谁不愿意尝尝有特色的谭家菜呢。

涮羊肉

铜火锅涮肉，在我国约有1400多年的历史，到了近代已盛行南北。各地区的火锅用料不同，各具特色，其中北京回族的涮羊肉最具特色。

涮羊肉对肉质要求较高，以不膻不腻为上品；涮肉切的肉片要薄要匀；涮汤讲究用海鲜、口蘑等作锅底；调料有小磨香油、辣椒油、纯芝麻酱、虾油、料酒、腐乳汁、韭菜花等；配菜有大白菜、粉丝、烧饼。涮汤煮面条和小饺子，更是美妙。

全聚德烤鸭

"不到长城非好汉，不吃烤鸭真遗憾"，确实，既然到了北京，就一定不能错过去品味北京烤鸭的机会。在北京，全聚德烤鸭是最负盛名的。全聚德始建于清同治三年(1864年)，至今已有130多年的历史。全聚德精制的传统挂炉烤鸭色泽红润、皮脂香脆、肉质细嫩、肥而不腻，颇受中外游客的青睐。经过不断创新，该店已形成了独树一帜的以烤鸭为代表，集全鸭席及400多道风味名菜于一体的全聚德菜肴，享有中华饮食之精品的美誉。全聚德烤鸭店在京城有18家店址，其中位于前门大街32号的烤鸭店是全聚德的总店，可同时容1000人进餐，和平门、中关村等地均有分店。

风味小吃

北京的风味小吃品种繁多，花样齐全，归纳起来大致可分为三类，即宫廷细点，汉味小吃和回民小吃。宫廷细点主要指清代宫廷御膳中流传民间的小吃，如豌豆黄、艾窝窝、芸豆卷等；汉味小吃主要原料为猪肉及猪下水的小吃，如炒肝、卤煮、灌肠等；回民小吃则是风味小吃中的主要部分，包括豆汁、茶汤、爆肚、白水羊头、马肉馅饼等。

"全聚德"的由来

全聚德烤鸭店是河北省冀县人杨寿山在清同治三年创建的。最初，杨寿山在前门外摆鸡鸭摊，有了积蓄后便将肉市胡同一家名叫"德聚全"的杂货铺买下来，自己开设挂炉铺，并将原字号名颠倒过来，成为"全聚德"。"全"字意含他的字（全仁），取"以全聚德，财源茂盛"之意。

"灌肠"的故事

北京最早的灌肠铺是后门桥头路东的"福兴居"，清光绪年间开业，掌柜的姓普，人称"灌肠普"。他家以真正的猪肥肠灌上碎肉、淀粉和其他香料，煮得不软不硬、烙得不老不疲，外焦里嫩，浇上盐水、蒜汁儿，吃起来别有风味。据说慈禧太后在地安门火神庙进香之余，曾到这里品尝，并大加赞赏。由此，福兴居的灌肠成为定期向清廷进献的贡品。

豌豆黄

茶汤

杏仁豆腐

津门揽胜

天津历史悠久，人文古迹星罗棋布，民间传统淳良古朴，1986年12月被国务院命名为历史文化名城。

望海楼教堂

望海楼教堂

望海楼教堂位于海河北岸狮子林桥旁，清同治八年（1869年）由法国天主教会建造。1870年，因发生"天津教案"被群众烧毁。1897年用清政府赔款重建。1900年义和团运动又被烧毁。现存的望海楼教堂，是清光绪三十年（1904年）第三次重修的。教堂为砖木结构，外观呈品字形，内部装修华丽。

天后宫

天后宫

天后宫位于天津市东北角，俗称"娘娘宫"。天后在古时被人们尊为护航女神。传说她经常驾船出海，搭救遇难的人，故被后人敬为女神。元时京城每年需北运大批粮食，先从海路运抵天津，然后再转河运至京城。元政府为祈求航海安全，便将护航女神崇为天妃，并在沿海城镇建起天后宫。天津的天后宫建于1326年。农历三月廿三日是娘娘的生日，每年这时都举行"皇会"，表演高跷、龙灯、旱船、狮子舞等。现今天后宫已成为天津民俗博物馆，介绍天津的历史沿革，陈列着种种民俗风情实物。

大沽口炮台

大沽口炮台位于天津市塘沽区的海河入海口。大沽口炮台始建于明代，清咸丰八年（1858年）重修，共有大炮台5座（南岸3座，北岸2座），以"威、镇、海、门、高"5字命名，每台放置3尊大炮。第二次鸦片战争和清光绪二十六年（1900年）抗击八国联军时，爱国士兵和义和团战士曾在此与敌人血战。至今，"海"字炮台保存完好。

海河由永定河、大清河、子牙河、南运河、北运河五大支流汇集而成，贯穿天津市区，经塘沽入海。

大沽口"海"字炮台遗址

杨柳青年画

距离天津城西15公里处，有座"家家会点染、户户善丹青"的古镇——杨柳青。出产于此的杨柳青年画成为北方年画最重要的部分。

杨柳青年画以色彩艳丽，富有夸张表现力，画面热闹喜庆，具有浓烈的地方生活气息而独树一帜。题材多以历史故事、戏曲人物、孩子为主。

剪纸是中国民间美术中一个比较单纯的门类。因其材料廉价，制作简单，题材广泛，功用多样，而十分流行。在剪纸创作中，"鱼"被广泛使用，以谐"年年有余（鱼）"的吉祥语。

芙蓉莲余：描绘儿童嬉鱼以象征子孙昌盛不绝，这是年画中常见的题材。此图将一个可爱的抱鱼娃娃突出画面，手中执莲意喻多子，背后用芙蓉衬托，耐人寻味。

古文化街

天后宫所在的古文化街全长580米，宽7米，这里的建筑大多是仿清代建筑。街内有近百家店铺，主要经营文化用品、古旧书籍、民俗用品、传统手工艺品等。著名的杨柳青年画、泥人张彩塑、风筝魏等都在这里设了专门店铺。

"风筝魏"与"泥人张"

绢制风筝和彩塑泥人是名扬中外的天津民间工艺品。

"风筝魏"自第一代魏元泰开始"长清斋"紥彩铺，以扎制风筝为主。他的风筝特点，一是造型逼真、二是色彩艳丽。他吸收我国古建筑彩绘的冷暖色对比法，多用粉红、月黄、浅灰、淡绿等色，使风筝适合高空放飞的特点，与蓝天谐和成趣。

道光六年出生的张明山，被誉为"泥人张"。他从国画和戏剧艺术中吸收营养，塑出彩色泥人肖像。泥人张彩塑泥人有其鲜明的艺术特色，一是实力强、二是色彩陪衬、三是题材广泛。画家徐悲鸿曾盛赞泥人张彩塑的艺术性，说彩塑泥人是"写实主义之杰作"，其"比例之精确"，"骨骼之肯定"，"传神之微妙"，可以同"世界最大塑师"争胜。

鹰风筝

五福风筝

"泥人张"传人的作品继承了我国民间泥塑艺术的写实风格。

故城新貌

天津位于华北平原东部，濒临渤海，历史上曾为漕粮北运京城，贯穿南北交通运输的中心枢纽。作为首都北京的南大门，天津又是京城之守卫、国都之门户，故人称"京畿国门"。

天津一带古为退海之地和黄河故道淤积而成的陆地。永定河、大青河、子牙河、南运河、北运河等在天津市区汇成海河。蓝色的海河像一条玉带，流经69公里，到大沽口注入渤海。天津既蕴涵着古老的神秘与悠远，又奔泻着现代化的气派和美感。

天津城市雕塑

天津体育馆位于河西区，它是为第43届世界乒乓球锦标赛专门修建的。

水上公园

水上公园位于天津市区的西南，建于1950年，面积213公顷，是天津市内最大的综合性公园。

水上公园以水取胜，水面约占全园面积的1/2，内有12个小岛，岛与岛之间以造型优美的双曲拱桥、曲桥、桃柳堤相连接，将水面分割成东湖、西湖、南湖三个大湖。湖水映衬着朱红楼阁，再加上划船、游艇等各种水上活动，构成了天津水上公园的独特风格。

南市食品街

　　南市食品街位于繁华的旧商业中心南市，这里不仅云集了全国各地的珍馐美馔、风味小吃，而且建筑也别具一格，具有浓厚的民族特色。整个食品街像一座宫殿，显得古朴庄严。它是中国目前最大的经营名特食品为主的新型市场。

　　这里不仅有川、鲁、粤、湘、苏、浙正宗大菜，还有甜、咸、干、稀回汉民俗小吃；既有意、俄式西餐、快餐，也有山村野味、时令海鲜、乡村便饭、仿膳佳肴。南市食品街作为天津一景的独特魅力吸引着越来越多的中外游客。

天津别墅

天津毗邻渤海，具有丰富的水产品。物美价廉的产品吸引各地的人前去购买。

天津小吃"三绝"

　　"狗不理"包子选料严格，肥瘦搭配，而且四季搭配不同。蒸出的包子鲜香可口，肥而不腻。狗不理包子铺总店位于离滨江道不远的山东路上。

　　"耳朵眼"炸糕，采用水磨黄米发酵面团作炸糕皮，煮红小豆加红糖作馅，用生芝麻香油文火炸透捞出，色泽金黄，外酥里糯，别具风味。

　　"十八街"的麻花不仅酥脆香甜，而且存放几个月也不绵软。

　　"十八街"桂发祥什锦夹馅麻花的总店位于大沽南路十八街上。

内蒙古

内蒙古为蒙古族的聚居地，广袤无垠的草原造就了这个曾经万里驰骋，攻无不克的马背上的民族。到内蒙古旅游，首先应该拜谒成吉思汗陵、昭君墓，历史的辉煌已化为尘烟散去，仅留下他们的陵墓向人们昭示着英雄、美人的传奇故事。其次佛教胜迹华严经塔、金刚座舍利塔也值得一游。而草原风情自然更不容错过：住蒙古包、喝奶茶、吃烤全羊，还可以骑一匹骏马，驰骋于宽广的大草原上，体验如飞的感觉。

内蒙古旅游指南

景点推荐

昭君墓	呼和浩特市南 9 公里大黑河南岸
五塔寺	呼和浩特市区
内蒙古赛马场	呼和浩特市北门
清真大寺	呼和浩特市北门外
席力图召	呼和浩特市旧城区
大召	呼和浩特市旧城区
万部华严经塔	呼和浩特市东部 18 公里的白塔村
乌素图召	呼和浩特市西北 12 公里大青山南麓
哈素海旅游度假村	呼和浩特市和包头市之间
希拉穆仁草原	乌兰察布盟草原中部
辉腾锡勒草原	乌兰察布盟右中旗西南
库布齐沙漠	包头市南 50 公里
五当召	包头市固阳县五当沟
成吉思汗陵	伊金霍洛旗东南 15 公里
贝子庙	锡林浩特市北部
元朝陪都上都城	上都地区
阿尔山温泉	科尔沁右翼前旗西北部
黑城	喀济纳旗

旅游购物

特产：呼呼尔（鼻烟壶）、发菜、口蘑、莜麦片、羊绒衫

文化娱乐

呼和浩特内蒙古自治区博物馆	呼和浩特市中心
辽中京城遗址	宁城县

特色餐饮

古丰轩饭庄	特色：清真菜肴	呼和浩特市中山西路
玛拉沁饭庄	特色：蒙古风味	呼和浩特市新城西街

内蒙古风味菜肴：烤羊腿、烤羊尾、羊肉串、扒羊肉、涮羊肉

内蒙古"八珍肴"：醍醐、獐羔、野驼蹄、鹿唇、驼乳、麋鹿肉、天鹅炙、元玉浆

内蒙古小吃：炒米、奶皮、奶酪、奶酥、黄油、奶渣、酸牛（马）奶、奶油、白奶豆腐、奶酒、手扒肉

游程建议

赤峰草原自驾车八日游

第一天：赤峰出发，自驾车赴翁旗其甘旅游点，观赏沙漠风光，月牙湖乘船，垂钓，沙浴，住蒙古包。

第二天：翁旗其甘－克旗热水。晚上在温泉洗浴。

第三天：克旗热水－黄岗梁。观赏森林风光，登大兴安岭最高峰，住帐蓬或木屋。

第四天：黄岗梁－白音敖包（观赏红皮云杉林）－达里诺尔湖（观赏草原、湖泊风光和岩画），住达里度假村。

第五天：达里诺尔湖－元代应昌路遗址－响水（参观响水瀑布和响水电站）。

第六天：响水－乌兰布通（参观古战场遗址、将军泡子、12座连营遗址）。

第七天：在乌兰布通观赏蒙古族歌舞表演，骑马，坐勒勒车，晚上参加草原篝火晚会。

第八天：返回。

巴音锡勒草原周末游

第一天从呼和浩特市出发，乘汽车赴巴音锡勒草原，下午骑马，看赛马、摔跤等蒙古传统节目，到牧民家作客，看落日景观，晚餐后参加篝火晚会，欣赏民族歌舞，住蒙古包。

第二天观日出，早餐后乘汽车返回呼和浩特，午餐后游览昭君墓、五塔寺、购物。

希拉穆仁草原－响沙湾沙漠自助游

第一天：呼和浩特市出发，乘汽车赴希拉穆仁草原，下午骑马，观看赛马、摔跤等蒙古族传统表演，到牧民家作客，晚餐后参加篝火晚会，欣赏民族歌舞，住蒙古包。

第二天：观日出，早餐后乘车返回呼和浩特市，午餐后游昭君墓、五塔寺、购物。

第三天：早餐后乘汽车赴包头，后赴库布其沙漠——全国三大响沙地之一银肯响沙湾，晚餐后返回。

特别提示

- 草原最适宜旅游的季节为6月下旬至8月底，平日草原上昼夜温差大且天气变化无常，需带外套及雨具；正午太阳很晒，建议使用防晒品或戴遮阳帽。
- 内蒙的特色食品，如奶酪、奶豆腐等一般人都吃不惯，尝尝便可。蒙古刀车上不许带，查出来要没收，最好别买。
- 银肯响沙湾没有直通车，自助游可直接包车过去。

节庆指南

那达慕大会	7月~8月	蒙古族聚居地	摔跤、赛马、射箭等民族活动
草原旅游节	7月15日~8月15日	内蒙古广大地区	庙会、祭敖包、服装表演
祭奠成吉思汗	农历三月二十一	达扈特人居住地	敬酒、拆除"人马柱"

草原盛会那达慕

毡包像珍珠撒满草场，
人流像潮水来自四方；
骏马像流星追云赶月，
歌声像百灵婉转悠扬……

每年七八月的草原总是沉醉在鲜花绿草的恋情里。这时，成千上万的蒙古牧民，穿起节日的盛装，不顾旅途遥远，男女老少或骑马或乘车，云集到绿茵如海的草原上。平日宁静的草原，此时彩旗飘扬，牧马嘶鸣，呈现出一派热闹的景象，这就是蒙古民族一年一度的盛大节日——那达慕。

"那达慕"是蒙语游戏和娱乐的意思。

那达慕的由来

那达慕的历史渊远流长。蒙古人的祖先远在公元前2000多年时就已在蒙古草原的广阔地域上活动。壮美清秀的额尔古纳河，是蒙古民族历史的摇篮。原始社会，生活在蒙古高原的北方民族，逐渐掌握了与野兽格斗的本领，后来，"骑射"成了蒙古人赖以生存的生活方式。

随着社会的发展，摔跤、射箭、赛马成为蒙古高原游牧民族军事训练的三个基本项目。成吉思汗的祖先们，以及那一时期的部落首领，往往都是因为善于骑射而获得荣誉称号的英雄。

12世纪以后，蒙古族的首领们每当举行大会时，除了制定法规、任免官员、分封奖惩外，还要举行"那达慕"活动，摔跤、射箭、赛马已成为主要活动内容。从此，那达慕就成为蒙古人的盛大节日。

盛会上独特的点火仪式

赛马

赛马主要有"压走马"、"赛跑马"两种。

压走马以马的步法而论，走马是能前后蹄交错前进的一种马，是善于骑术的人驯出来的。压走马要备鞍，骑手都是成年人。压走马比赛主要是比马走得快、稳、美几方面。

赛跑马比赛将开始时，骑手们一字摆开，个个腰扎彩色腰带，头缠彩巾，英俊潇洒。热情的观众们聚集在起点和终点旁，起点和终点插满了各种鲜艳的彩旗。听到号角长鸣，骑手们便飞身上马，扬鞭竞驰，如箭矢齐发，争先恐后，顿时观众欢呼呐喊，声震天空。

蒙古式摔跤

蒙古式摔跤是草原牧民最喜爱的运动项目，蒙语叫"搏克"。每当那达慕盛会召开的时候，各地的摔跤能手都不远百里前来参加。谁若能在群雄角逐中夺魁，就会格外受到尊敬。摔跤手是牧民心目中的英雄。

蒙古族的摔跤，既不同于中国式的摔跤，也不同于日本的相扑，它在规则、方法、服装、场地等方面都有自己的特点。

参加蒙古式摔跤的人数是8、16、32、64、128、256等双数，总数不能是奇数。报名不分民族、地区，不限年龄和体重。对手的安排由德高望重的裁判员负责，不征求摔跤手的意见。比赛实行单淘汰制，即每轮淘汰半数。

身着盛装的蒙古族女子

摔跤手的服装比较讲究，下身穿肥大的白裤子，外面再套一条绣有各种动物和花卉图案的套裤。上衣是用香牛皮制成，上面钉满银钉或铜钉，后背中间有圆形镜或"吉祥"等字样。腰间系有红、蓝、黄三色绸子做的围裙，脚蹬蒙古靴或马靴。有的摔跤手脖子上佩戴着五颜六色的布条项圈，看上去煞是威风，这是在一定级别的比赛中获得优胜的象征。摔跤比赛的场地简单，只要有一片草坪或松软空地，观众席地而坐，摔跤手就可以在中间进行比赛了。

草原明珠——呼伦湖

呼伦湖是我国第五大湖，也是内蒙古第一大湖，其湖盆是由于地壳运动形成断层，地壳相对上升或陷落而形成的。呼伦湖已有一亿多年的沧桑变迁史。

由于呼伦湖是我国北方最重要的大湖之一，水域宽广，沼泽湿地连绵，草原辽阔，食饵丰富，鸟类栖息环境优良，因此是我国北部内陆鸟类迁徙的重要通道。

内蒙古文化遗址

　　走进内蒙古草原，极目远眺，不禁令人回想起昔日草原的辉煌。这里名人辈出，如今却只剩下青冢古陵，述说着草原的沧桑。

成吉思汗陵

　　成吉思汗陵位于鄂尔多斯高原伊金霍洛旗东南15公里的甘德尔山麓。陵园分为陵宫、行宫、苏力德祭坛等部分。陵宫又分为正殿、寝宫、东殿、西殿、东西过厅六部分。正殿里矗立着一尊4.3米高的汉白玉成吉思汗坐像，其背后是辽阔的成吉思汗国疆域图，寝宫里安放着成吉思汗及三位夫人的灵柩。东殿里安放着成吉思汗幼子拖雷及其夫人的灵柩。西殿里供奉着成吉思汗的银马鞍、弓箭、圣奶桶。东西过厅和各殿都有表现成吉思汗一生戎马生涯、生活习俗以及其子孙业绩的巨幅壁画。

　　苏力德祭坛供奉着成吉思汗的军徽——苏力德，它象征着战无不胜、所向无敌。成吉思汗陵史展览馆记录了成吉思汗陵的创建和迁徙发展过程，陈列着党和国家领导人、文人墨客、中外知名人士的谒陵题词与照片及文物。行官是具有元代风格的成吉思汗官殿，也是一座具有浓郁民族特色的草原风情旅游点。

成吉思汗陵园以特有的历史价值、迷人的草原景色、神秘的守陵护卫及盛大的成吉思汗祭奠仪式吸引着众多的国内外学者和游人。

昭君墓

昭君墓在呼和浩特市南部、大黑河之滨。这一带地势平坦，昭君墓巍然矗立其中，远望墓表，黛色朦朦"若泼浓墨"，因而又有"青冢"一名。

昭君墓墓体面向南方，高33米，全部由人工夯筑而成。顶部甚平，呈台体状，上建琉璃瓦凉亭。墓前的两层平台之间有阶梯连接。第一层正中立巨大石碑一块，碑上用蒙、汉文铭刻着董必武游览昭君墓时的题词："昭君自有千秋在，胡汉和亲识见高；词客各抒胸臆懑，舞文弄墨总徒劳。"墓的两侧建有历史文物陈列室，分别陈列着呼和浩特地区的历史文物和有关昭君的文物，如"汉明妃之墓"、"昭君青冢"、"汉明妃冢"、"塞外流芳"等碑刻和颂扬昭君的诗文。第二层筑有六角凉亭，顺凉亭的阶梯可登至墓顶。墓园内，松柏苍翠，杨柳参天，百花繁茂。

释迦如来舍利塔

释迦如来舍利塔位于巴林右旗大兴安岭南支重峦环绕之中，高49.48米，为七层八角楼阁式砖塔，建于原辽庆州城内，至今已有940多年的历史。塔以白垩土粉饰，各层都镶嵌花砖，上刻有佛、菩萨、力士等佛教人物像，及乐舞、宴饮等画面。塔身上还镶嵌数百面圆形、菱形铜镜，顶为鎏金铜制塔刹，在阳光照耀下，塔身光彩夺目，数十公里外即可看到，为内蒙古草原上的一大奇观，现庆州城已废，唯该塔巍然独存。

五塔召后墙上的蒙文天文图直径1.5米，图上以蒙文标明十二宫天干、二十四节气、三百六十度方位和二十八宿名称，蒙文题铭上记述，这幅图是雍正三年 (1725年) 根据钦天监制定的天文图刻成的。这是迄今为止我国发现的唯一一幅以少数民族文字标注的天文图刻石，是一件珍贵的历史文物。

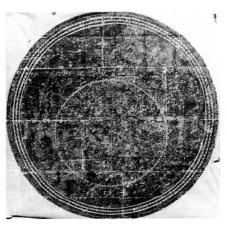

金刚座舍利宝塔

在呼和浩特旧城的东南，有一挺拔秀丽的金刚座舍利宝塔，即著名的五塔。这里原有一座三重院落的喇嘛庙宇，俗名五塔召。

五塔召始建于清雍正五年（1727年），落成于雍正十年（1732年），清朝以"慈灯寺"命名。五塔座落于三重殿宇的后面，是稍晚于该庙的建筑。该寺的最后一个主持阳察尔济格根于清光绪十二年（1886年）去世，从此，庙宇衰落，但玲珑的五塔独存至今。

塔的金刚宝座共有七层，高7.82米。每层都挑出窄檐，装有绿色琉璃的瓦当和滴水。第一层上有用蒙文、藏文和梵文三种文字书写的佛教经典《金刚般若波罗蜜多经》（简称《金刚经》），笔锋圆润，技法娴熟。从第一层到第七层，均塑鎏金佛像共1119龛。每龛一佛，坐于束腰莲座上，两旁雕有宝瓶柱。柱的两侧上角和佛像上边，以梵文刻"南无阿弥陀佛"六字。这些佛像同中有异，神态怡然。金刚座顶四周，竖以碑尖状汉白玉石栏额，上面以梵文刻"南无阿弥陀佛"六字和其他佛咒。

万部华严经塔

　　万部华严经塔，又名白塔，位于呼和浩市东郊白塔村西。此塔建于辽代，高约40米，八角七层，呈楼阁形，雄伟壮观。

　　华严经塔用直纹砖与方砖筑成，石灰灌注。基台为莲花形，上承第一层平座。第一层之南门上有石额一方，刻"万部华严经塔"六个字。塔的第一、二层各面皆塑有菩萨、天王、力士等像，形态各异，生动如真。第三层以上，塔身外壁皆素面无装饰。塔之各层面皆设门、窗，每组斗拱各不相同。现在，各层之檐椽及一、二层之塑像已残破，但塔身仍巍然屹立。

　　华严经塔可能为藏经而建，但现在除各层壁上的游客题记外，塔内已空无所有。题记有汉文、蒙古文、藏文、契丹文、西夏文、女真文等，时间最早的是金大定十二年(1172)年题的。

　　塔所在的古城的四周城墙还能隐约可辨。从地下出土文物及文献记载看，此城可能为辽金两代的

华严经塔上的浮雕

丰州城。至今当地人还称古城废墟为"丰城"，就是一个证明。

　　辽金时代的丰州，是辽金王朝西部的军事重镇，为内地与漠北诸部贸易交换的重要孔道。从城墙的规模及遗址地面存在的大量陶片、瓷片、琉璃瓦片看，可以想象这个城市当时的繁荣景况。1696年康熙在西征噶尔丹时，曾在这里驻军。

黄教寺庙

蒙语"召"即汉语中的庙。内蒙古的宗教以黄教为主，建有不少召庙，其中五当召是内蒙古地区最大的寺庙之一，向来有"东藏"之称。

美岱召

美岱召位于土默特右旗，距呼和浩特市100公里，是一座庙与城相结合的建筑。明朝万历三年（1575年），朝廷曾经为俺答城赐名福化城，这就是该庙的前身。万历十年（1582年）阿拉坝汗曾经邀请三世达赖锁南嘉错入蒙来说法，首赠他"达赖"的称号，并追认前两世活佛为一世、二世达赖。后来这座福化城便与喇嘛庙结为一体了，高高的城墙、雄伟的佛殿和三娘子庙结合得十分巧妙完善。

五当召

包头市东北约50公里山峦重叠的大青山深处，有一座建筑宏伟、气势磅礴的召庙，这就是久负盛名的五当召。

五当召，原名巴达嘎尔庙，始建于清乾隆十四年（1749年），是第一世罗布桑加拉错活佛最初在此兴建的，以后又逐渐扩建，才具今日之规模。清代时曾赐名"广觉寺"，因召庙建筑在五当沟的一座叫敖包山的山坡上，所以人们称之为五当召。

五当召内的千手千眼观音像

五当召建筑本身以及各殿堂的壁画和用木、泥、铜、石等质料制出的各种雕塑，是各族劳动人民智慧的结晶，具很高的艺术价值，是祖国文化艺术遗产的组成部分。如今，它已成为内蒙古自治区游览胜地之一。

席力图召

　　席力图召在呼和浩特市旧城石头巷内，原为一座小庙，因庙主希体图噶精通蒙、藏、汉三种文字及佛教经典，受到顺义王阿勒坦汗的推崇，召内香火日盛，规模也日渐扩大，明万历三十年（1602年）希体图噶护送同自己学习佛教经典的四世达赖回藏坐床，归来后即改庙名为席力图召，席力图召是藏语法座或首席的意思，之所以改名据说是因希体图噶到西藏曾坐过达赖喇嘛的法座。席力图召规模宏大，外观华丽，其大殿四壁用彩色琉璃砖包镶，殿顶有铜铸鎏金宝瓶、法轮、飞龙、祥鹿等饰物，大门涂以朱红重彩，前侧立有清康熙御制平噶尔丹纪功碑，东南建有白石雕砌覆钵式喇嘛塔。塔高约15米，上绘彩色图案并写佛教六字真言，其精致完美，在内蒙古现存喇嘛塔中堪称第一。席力图召内的壁画，亦远近闻名。

席力图召塔

席力图召壁画

　　席力图召的主体建筑是由前廊、大经堂、佛殿三部分组成，采用藏式结构。前廊为七开间，下层是装饰华丽的藏式柱，上层左右两开间及前廊左右两墙采用孔雀蓝琉璃砖贴面，并加镀金银饰。大经堂高两层，面宽和进深都是九间，是喇嘛集体诵经之地，后部是佛殿。

席力图召大经堂

草原民俗

内蒙古幅员辽阔的草原上，生活着热情奔放的蒙古人，他们在这里创造了灿烂的民俗文化和独特的民俗传统。

饮茶习俗

茶叶被蒙古人称之为"仙草灵丹"。茶叶除有强心、健脾、提神醒脑等药用功能外，还有溶解脂肪、促进消化等作用。因此，茶叶，尤其是砖茶在蒙古族人民生活中占据了重要的位置。牧民说一日无茶，饮食不香，夜不能寐；三日无茶，心虚目晕，怠惰无神。传说，成吉思汗时期，蒙古兵出征不必带很多的粮草，有了砖茶，便等于有了粮草。将士饮茶，耐渴、耐饥、精神爽快。马食茶渣，胜过草料，日行千里，抖擞如常。

游牧的习俗，使人们随遇而安。

蒙古族人饮茶时用的茶壶

内蒙的某些地区现今仍保留有吸鼻烟的习俗，图为两位蒙古族老者正在吸鼻烟。

祭敖包

蒙古族"祭敖包"的风俗由来已久。"敖包"是疆域地界的一种标志，有的是利用突出地面的自然物而建，有的则是人工筑起的土包、石包、柴包等。

在每年夏季或秋季的固定祭日，"敖包"附近的蒙族居民，会不约而同地带上祭品（熟羊肉、牛奶、白酒、油饼等），从四面八方骑马或徒步而来。他们把所祭食品摆在敖包前，人们一起跪下，虔诚地静默祝愿："民族兴盛，疆域安定，人畜两旺，永保太平。"祭毕，大家环坐敖包前，共同分食祭品，有的还边喝酒边谈笑娱乐。

草原上除了肉食品，还有许多风味独特的奶制品，这是牧民在搅酸奶。

阿拉善烤全羊

"烤全羊"是阿拉善地区特有的传统美味之一,也是最著名的一道菜肴。它最初是清朝康熙年间,阿拉善旗第一代扎萨克王和罗理率部从新疆移居阿拉善时带入的。后来,第三代旗王罗布藏多尔济因战功卓著而被赐封为朝廷驸马亲王,并建王府于北京,他便在原工艺基础上吸收了北京烤鸭烹饪的特点,形成了现今阿拉善烤全羊的独特地方风味,至今已近300年的历史。

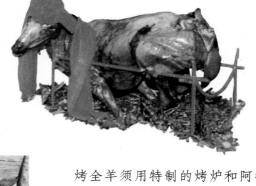

蒙古牧民在晒羊肉。

烤全羊须用特制的烤炉和阿拉善特有的梭梭干枯柴作燃料,并精选阿拉善土种绵羯羊。这种羊个大尾肥,肉质鲜美,无膻味。制作时有由宰、烫、配料等18道工序,最后烘制而成。烤全羊皮黄色,肉色深红,悦目诱人,香气扑鼻,吃起来皮酥、肉鲜,味道浓香而不腻。其吃法也很独特:将羊放置于大盘内,先端给客人观赏,引起食欲,然后由表及里,按皮、肉、骨的顺序逐一品尝,再辅以荷叶饼、小葱、面酱、包卷而食之。最后再食用烤羊的调味汤煮的柳叶面。

蒙古包

蒙古包是草原地区最典型的民居建筑,以其豪放而优柔的独特风姿得到蒙古牧民的钟爱。

在《史记》、《汉书》等典籍中,称蒙古包为穹庐。《后汉书·乌桓传》写草原民族"随水草放牧,居无常处,以穹庐为舍,东开向日"。

这里说的穹庐,呈圆形尖顶状,通常用一层或多层羊毛毡覆盖,是一种搭建在原野里棚子一类的东西,蒙语称蒙古勒格。

这种古老的建筑,如今不仅在功能上日臻完善,而且完整地保存了原始建筑的构造形态,这在任何一种建筑的演变史中是很少见的。

蒙古包建筑的构造形式体现了蒙古民族传统的审美意识。奇特、明快的风格,使蒙古包既实用又美观,可以说建一座蒙古包就是以最简洁的手法和最省料的工艺,完成一项极富表现力的创造,从而实现建筑技术和建筑艺术的高度统一。

蒙古包的搭建简单,方便牧民的游牧生活。

陕　　西

陕西是中华文明的源头，从秦汉到隋唐12个王朝在这里绽开与凋谢。走进陕西，到处可见的秦砖汉瓦，数不清的名胜古迹向人们诉说着历史的辉煌。黄帝陵、神农祠是中华民族拜谒始祖的胜地；秦始皇陵被称为世界八大奇迹之一；西安碑林号称世界最大的"石书库"；周代的铜鼎，汉代的石刻、壁画，还有唐代的金银珠宝，熠熠生辉的唐三彩都是历史变迁的见证。

除了名胜古迹，险峻雄伟的华山，一夫当关、万夫莫开的潼关，中国革命的圣地延安等也都是旅游的好去处。

陕西旅游指南

景点推荐

大雁塔	西安市东南约 4 公里处
小雁塔	西安市南门外
乾陵	西安市西北乾县境内
昭陵	西安西北约 70 公里处
西安城墙	西安市区
碑林	西安市三学街
华清池	西安东约 30 公里的骊山脚下
秦始皇陵墓	西安市东约 35 公里处
阿房宫遗址	西安市西郊
华山风景区	西安东 120 公里的华阴县南
半坡遗址	西安市东郊 7 公里处
茂陵、霍去病墓	咸阳市兴平县
宝塔山	延安市延河之滨
王家坪革命旧址	延安西北王家村
杨家岭革命旧址	延安市西北约 3 公里
清凉山	延安市延河之滨
壶口瀑布风景区	宜川县
法门寺	扶风县城北

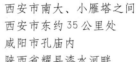

文化与艺术

陕西历史博物馆	西安市南大、小雁塔之间
秦始皇一、二号兵马俑博物馆	西安市东约 35 公里处
咸阳市博物馆	咸阳市孔庙内
陕西耀州窑博物馆	陕西省耀县漆水河畔
延安革命纪念馆	延安凤凰山麓

特色餐饮

西安饺子宴饭店	特色：专营饺子，其选料、制法、味道、形状多种多样	西安火车站前的解放路北段
德发长酒店	特色：黄桂稠酒为第一家	西安市东大街案板街
西安饭庄	特色：宫廷宴、风味宴、小吃宴、药膳宴，陕西菜系典型代表	西安东大街中段繁华市区
同盛祥牛羊肉泡馍馆	特色：牛羊肉泡漠	西安市
清雅斋饭庄	特色：全羊席	西安市

特色小吃街：白云章西北风味小吃城、西安回民食品街

陕西菜系中的名菜：葫芦鸡、鸡米海参、酿金钱发菜、口蘑桃仁汆双脆、煨鱿鱼丝、温拌腰丝、三皮丝、枸杞炖银耳、莲菜饼、奶汤锅子鱼

游程建议

陕西东线游

西安（华清池、秦始皇陵、秦始皇兵马俑博物馆、世界八大奇迹馆）－华阴县（华山玉泉院、华山诸峰、西岳庙、蒲城桥陵）

陕西西线游

咸阳（咸阳博物馆、昭陵博物馆、乾陵、茂陵、霍去病墓、杨贵妃墓）－宝鸡（北首岭遗址、炎帝陵、钓鱼台、五丈原）－眉县（太白山国家森林公园）

注：因西线为南北环形旅游线路，西宝一级公路在环形线中间，安排游览景点应从环形线路的具体情况考虑选择组合。

陕西南线游

长安县（翠华山、南五台、兴教寺）－户县（高冠瀑布、朱雀森林公园、草堂寺）－蓝田县（水陆庵、蓝田猿人遗址、辋川溶洞）－三原县（城隍庙、西安未央湖度假区）

注：因以上线路都在西安市郊，离市区很近，旅游者可根据个人兴趣，安排当地住宿，也可当天返回西安市区住宿。

陕西北线游

铜川耀县（药王山、耀州窑遗址博物馆、黄帝陵）－延安（革命旧址凤凰山麓、杨家岭、枣园、王家坪、宝塔山、南泥湾）－宜川县（壶口瀑布）

旅游购物

西安地区：火晶柿子、柿子饼、西安扎染、五毒马夹、水晶饼、稠酒

关中地区：彬县大红枣、三原蓼花糖、凤翔西凤酒、凤翔泥塑

陕北地区：剪纸

陕南地区：洋县黑米和香米、紫阳青茶、猕猴桃

特别提示

● 陕北属黄土高原，平均海拔在千米以上，早晚温差较大，应备好衣物。

● 陕北的主食是面食。米饭炒菜很贵，但面食相当便宜。面食的原料有莜面、荞面。

● 壶口瀑布在冬季枯水期，黄河河面冰封，细流涓涓；四月初，冰河解冻，巨流夹着大量冰块冲击而下，如狮吼虎啸，震天动地。夏季是观赏壶口瀑布的最佳季节。

节庆指南

长安国际书法年会	11月	西安市	书法家笔会、书法作品展、书法作品拍卖会
西安古文化艺术节	9月	西安市	各种民间艺术展、大型文艺演出

古都西安

西安古称长安，是中国历史文化名城之一，已有三千多年的历史，自西周而下，秦、西汉、前赵、前秦、后秦、西魏、北周、隋、唐等十余个朝代都相继在这里建都。西安是"丝绸之路"的起点，是自古以来中国与世界各国进行经济、文化交流的重要城市。西安的地上地下都保存和埋藏着众多的文物古迹和奇珍异宝，堪称一座"立体历史博物馆"。

鼓楼外貌

钟鼓楼

钟楼位于西安城中心东、西、南、北四条大街的交会处，初建于明洪武十七年（1384年），通高36米，楼体为重檐复屋四角攒尖顶的木质结构。鼓楼在钟楼西北200米处，比钟楼早建4年，通高33米，楼体呈长方形，是歇山顶重檐三滴水木构建筑，用青砖砌筑。

城墙依旧

西安城墙是我国六大古都中唯一保存比较完整的城墙，为明朝初年在唐代长安城皇城的基础上扩建而成。

西安古城墙的朱雀门。隋唐时长安城基本为正南北方向，以承天门大街、朱雀门大街连成的中轴线作东西对称布局。朱雀门即为朱雀门大街的起点。

大小雁塔

大小雁塔皆位于西安东南，一大一小，遥遥相望。古人曾把雄伟高大的楼阁式大雁塔称为"伟丈夫"，而将秀丽玲珑的密檐式小雁塔称作"娇夫人"。

大雁塔位于慈恩寺内，原名慈恩寺浮图，是为保存玄奘由印度带回的佛经而建。

小雁塔位于荐福寺内，相传是唐中宗李显命宫人摊钱而建，因形制与大雁塔相似而略小，故名小雁塔。

専家指点

在西安可以安排两日旅游。第一天大、小雁塔－西安古城墙－碑林。第二天，秦始皇兵马俑－华清池－半坡遗址。

清真寺

清真寺，又名化觉寺，坐落在西安鼓楼西北隅，是西安穆斯林的礼拜寺。西安有穆斯林3万多人，散居在西安各区，该寺附近是穆斯林居住比较集中的地方。这座寺院占地12000多平方米，建筑面积约4000平方米，在中国现有的伊斯兰教寺院中，是规模较大、保存比较完整的一座。它既表现了伊斯兰教寺院的独特风格，又具中国传统建筑的艺术特点。

据寺内现存石碑记载，该寺始建于唐玄宗天宝元年，后历经宋、元、明、清各代的扩建，最后形成今日规模。

陕西历史博物馆

陕西历史博物馆位于西安大雁塔附近,是我国第一座现代化的国家级博物馆。这里常年展出"陕西古代史陈列",汇集周、秦、汉、唐等历史朝代在陕西出土文物的精华,展品有3000多件,主要有商周青铜器、秦汉瓦当、陶俑和盛唐的唐三彩、金银玉器、瓷器以及多彩的手工艺品等。这些展品是从80万件文物中精选出来的,大多为稀世珍品,充分地反映了中国古代从原始社会到中世纪中期,周、秦、汉、唐等十余个封建王朝建都西安的历史风貌,具有极高的历史、科学和艺术研究价值,被称为"中华文明的历史长廊"。

夔纹方座簋(西周早期)

"日己"方尊(西周中期)

镶金玉镯(唐)

陕西历史博物馆造型古朴美观,建筑上既吸收了唐代雄浑博大的建筑风格,又融古典与现代建筑艺术为一体,是中国建筑泰斗梁思成的弟子、著名古建专家张锦秋女士的杰作。

龙纹铜镜（唐）

唐三彩女立俑（唐）

唐三彩骆驼载乐俑（唐）

西安碑林前的一座两层飞檐亭阁上有两个工整厚朴的金色大字"碑林"，相传为林则徐被流放新疆路经西安时留下的墨迹。

碑林墨迹

西安碑林在西安城南原隋唐国子监所辖之孔庙内。碑林创建于北宋哲宗元祐二年（1087年），经历代不断扩大，现收藏有从汉代到清代的碑石共2300余件。西安碑林是我国集中保存汉唐以来碑石、墓志时间最早和数量最多的地方。

出土于半坡遗址的人面鱼纹彩陶盆。

半坡遗址

半坡遗址位于西安市东郊浐河东岸半坡村北，有国内比较完整的新石器时代仰韶文化的村落遗存，距今6000年左右。

半坡遗址出土了多种鱼纹彩陶，有的把人和鱼交织地画在一起，考古学家称之为人面鱼纹，是彩陶艺术的精华。人面和鱼面交织在一起，说明人鱼之间关系密切。鱼是半坡先民重要生活来源，据推测，半坡民族可能以鱼为图腾崇拜物。

秦始皇陵墓

　　秦始皇陵墓位于西安市东约35公里处，南傍骊山，北临渭水。它是中国、也是世界上规模最大的陵墓。秦始皇嬴政13岁即位，50岁去世，在位37年，而其陵墓的修建历时36年。嬴政自称始皇，并希望子子孙孙皇朝永固，而秦朝却两代而亡，曾经的辉煌仅在兵马俑中那些没有生命的车马武士间还依稀可见。

兵马俑

兵马俑俑坑位于秦陵东侧约1.5公里处。已发掘了三个呈"品"字形的俑坑，总面积达2万多平方米，内藏与真人真马大小差不多的陶俑约8000件，战车百余乘，以及数万件实用兵器等文物。

一号坑有步兵与车兵，主要是步兵，其阵容有前锋、主体、后卫、侧翼之分，再现了秦朝当时"兵强马壮"的国力。二号坑有陶俑、陶马1300多件，战车80余辆，青铜兵器数万件，其战阵中有立射和跪射陶俑，有弩兵组成的远程杀伤部队，有战车组成的冲锋部队，还有骑兵重战车组成的攻击部队，最后是进行拼杀的车、骑、步混合部队。三号坑则是统帅一、二号坑的指挥部，古称军幕或幕府。

兵马俑中的跪射武士

秦铜车马

秦铜车马是中国迄今发现年代最早、形制最大、结构最完整的铜质车、人、马。车马全长3.28米，高1.04米，大小为真车、真人、真马的二分之一。马身以白色为底，上有彩绘。

铜车上的圆形篷盖似一龟壳，寓意吉祥长寿，与四方形的车底相配，构成上圆下方的车身，符合中国古代"天圆地方"的说法。

天宝遗事

"天长地久有时尽,此恨绵绵无绝期"。大唐天宝年间,唐玄宗与杨贵妃演绎的爱恨悲剧在这片古老的土地上,留下了处处令人驻足的历史记录,让无数后来人慨叹。

华清宫中的飞霜殿,冬天下雪的时候,温泉的热气上升,雪花在空中飘来飘去,不等落下就化了,大殿周围见不到积雪和落霜,因此名为飞霜殿。

华清池

华清池位于骊山西北麓。唐太宗贞观十八年(644年)由著名建筑家、画家阎立德在此主持建造了"汤泉宫",唐玄宗后将它扩建为一个以温泉为中心的"陪都",改名为华清宫。因宫殿建在温泉之上,又称华清池。唐玄宗每年旧历10月偕同杨贵妃来此越冬,在这里处理朝政,接见朝臣,第二年二月或四月才返回长安。

图为当年唐玄宗沐浴的汤池,叫"九龙汤"。浴池中立有一对用白玉雕成的莲花,莲花上喷出清澄的泉水,似碎琼乱玉,故又名"莲花汤"。

"芙蓉汤"状若芙蓉,位于九龙汤以西,是当年杨贵妃沐浴的地方。白居易有诗云:"春寒赐浴华清池,温泉水滑洗凝脂。"

兵谏亭

骊山半山腰有一块上有金黄菌锈的巨石,远望像老虎身上的斑纹,石上有一座水泥凉亭,名为兵谏亭,就是西安事变时蒋介石被捕处。

杨贵妃墓

杨贵妃墓在兴平县马嵬镇西门外的马嵬坡上。现存的墓是一个小陵园,来此首先看到门楼上刻着"唐杨氏贵妃之墓"。进门正面是一座3间仿唐献殿,建筑高大壮观。殿堂之后是墓冢,占地1亩,高约3米,墓顶及周围砌以青砖。前有一小碑楼,上刻"唐玄宗贵妃杨氏墓"。墓地周围有回廊,廊壁上嵌有大小不等的30余块石碑,刻有历代名人游历后的题咏。

法门寺

　　扶风县法门寺，古称阿育王寺，寺中有宝塔，称阿育王塔，相传建于东汉桓灵时期，距今已有1700多年的历史。从北魏到隋唐，法门寺都是迎送佛骨的圣地，以塔中藏有释迦牟尼佛舍利而闻名于世。唐代，皇帝前后七次大张旗鼓地到法门寺迎奉佛骨，对当时的国家政治、经济、文化等领域都曾造成重大影响。

　　1981年，法门寺塔因大雨而坍塌。1987年重修时，在塔基发现了地宫，并从地宫中出土了唐咸通十四年(公元874年)封埋的佛指骨舍利和为迎送佛骨而贡奉的大批珍贵的文物。

鎏金壶门座鸿雁纹五环银薰炉

纯金单轮十二环锡杖

鎏金银薰炉。薰炉底部有錾文一条，全文为"咸通十年，文思院造八寸银花香炉一具，并盘及朵带环子，共重三百八十两。

鎏金三钴杵纹银阏伽瓶

鎏金双蜂团花纹镂孔银香囊

鎏金镂空鸿雁球路纹银笼子

法门寺最初是木质、方形的四层建筑，现大殿为1994年重修，是一座仿唐风格的巍峨殿堂。

地宫宝藏

　　法门寺地宫出土的文物，计有金银宝器121件、琉璃器17件、瓷器16件、石质器12件、漆木器杂器19件、珠玉宝石等约400件，还有大批丝织物。

　　青瓷八棱净水瓶，是法门寺地宫出土秘色瓷器中的一件。秘瓷产于越州，是越州青瓷中的佼佼者，唐诗里曾有"九洲霜露越窑开，夺得千峰翠色来"的赞美。秘瓷后世失传，众说纷坛，莫衷一是，法门寺地宫出土的秘色瓷为陶瓷考古提供了鉴定的标准器物。

拜佛垫是在大红罗底上用蹙金绣法盘织成大朵团花及流云纹样，图案浑厚饱满，色彩绚烂夺目，为唐代文物的奇宝。

佛真身指骨舍利

坍塌后的法门寺残塔

法门寺塔

　　法门寺塔原为木塔，明隆庆年间（1567~1572年）崩塌，万历七年（1579年）重修时，把木塔改建成十三层砖塔，称为释迦牟尼的"真身宝塔"，即现存之塔。

　　1981年8月24日上午，本来已于清顺治年间因地震而倾斜裂缝的塔体，坍塌崩裂。1987年重修时，在宝塔地宫内发现佛指骨舍利4枚，其中一真三假，外形相似，只是佛真身指骨更有骨质感。世界上唯一的一枚佛指骨舍利的发现震动了中国佛学界和考古学界。

皇天后土

天子将相，逝者如斯。那些经过了多少历史沧桑的陵墓却仿佛还留存着千百年前的辉煌。

黄陵

黄陵是中华民族的始祖——轩辕黄帝之陵，在距西安之北约180多公里处。

黄帝陵高3.6米，陵墓上种满古柏。墓周长48米，由砖砌的花墙围护着。围墙正面的碑上，镌着四个行书大字"桥山龙驭"。据传说，黄帝乘龙升天后，人们将他的衣冠埋在这里。

黄陵前有四角飞檐的祭亭，亭中碑上镌刻着郭沫若先生手书的"黄帝陵"三个大字。

> **无字碑**
> 乾陵的无字碑是按照武则天临死遗言而立的。遗言说，己之功过由后人评说，故不刻文字。碑高6.3米，宽2.1米，厚1.45米。宋、金以后，常有一些游人在上面题字，"无字碑"变成了"有字碑"。

昭陵

昭陵是唐太宗李世民的陵寝，位于西安西北约70公里处的九峻山上。昭陵始建于贞观十年（636年），李世民入葬时方才建成，历时13年之久。它开创唐代帝王"以山为陵"的先例，比以往帝王堆土为陵更为壮观。它的陪葬墓估计达200座以上，是中国乃至世界上陪葬最多的一座皇陵。

皇帝陵墓神道两旁设立的各种碑石，称为石像生，也叫翁仲，这种习俗在汉代即已开始，到唐代更加隆重和盛大，图为昭陵骏马。

昭陵陪葬武士俑

乾陵

乾陵是唐朝第三代皇帝李治和女皇武则天的合葬陵，位于乾县城北6公里的梁山上，距西安80公里，东有豹谷，西有汉谷，依山为阙，气势雄伟。这是唐十八陵中最有代表性和迄今保存最好的一座陵墓。

乾陵的地面设置，遗留到现在的主要是陵墓石刻。这些石刻十分精美，屹立在梁山之巅，至今已有1200多年的历史了。

霍去病墓

霍去病墓距兴平县茂陵东北约1公里，是茂陵的陪葬墓之一。

霍去病20岁时，曾两次率兵出征河西走廊击败匈奴，战功赫赫。霍去病死时才24岁，汉武帝为表彰这位年轻有为的爱将，就在茂陵东边为他修建了这座墓冢，其形状象征祁连山，以纪念他在河西走廊的功绩。因祁连山上多怪石，形如卧象、跃马、伏虎……因此，在他的墓冢上也铺放了不少乱石，并在墓前设置石人石兽，开创了中国墓前设置石人石兽的先例。

茂陵是汉武帝刘彻的陵墓。西汉时由于陵园地属茂乡，故称茂陵。它位于陕西省兴平县，距西安西北约40公里。茂陵尚未开掘，去茂陵主要参观的是它的陪葬墓——霍去病墓。

"马踏匈奴"石刻是霍去病墓石刻中最著名的珍品，在马下的匈奴人仰卧于地，手持凶器，面目狰狞，这一石刻精品形象地概括了霍去病一生抗匈征战的功绩。

西岳华山

　　西岳华山是我国著名的五岳之一，位于华阴市南，海拔2200米，北瞰黄河，南依秦岭，"远而望之若花状"，故有其名。因其西临少华山，又称太华山。

　　华山山顶有朝阳(东峰)、落雁(南峰)、莲花(西峰)三峰，皆岿然笔立，直插云霄。三峰之下，有云台(北峰)、玉女(中峰)诸峰环侍拱卫，各具特色，显得山势雄伟，壮观无比。

华山以奇拔峻秀而驰名天下，自山麓至绝顶，名胜古迹极多，庙宇道观，亭台楼阁，雕塑石刻随处可见，更有险径奇石，鬼斧神工，云海劲松，引人入胜。

华山旅游线路图

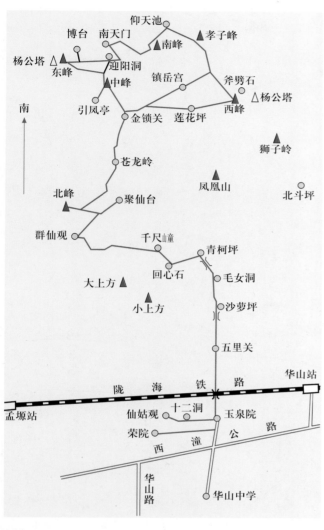

南峰松桧峰下的岩壁上，修筑了一条长空栈道，此栈道由30厘米宽的木板，搭在石壁上的铁桩上，下面便是万丈深渊。

南峰

　　南峰，又称落雁峰，是华山的最高峰，海拔2200米。四周皆为松林，杂以桧柏，迤逦数里，浓阴匝地。南峰上有明代建造的金天宫，也称白帝祠。峰顶有老君洞，相传道家始祖老聃隐居于此。洞外西出有长空栈道，通至贺老石屋。南峰上还有孝子峰、炼丹炉、八卦池等名胜古迹。

华山古道

　　华山自古一条路。通往华山峰顶，只有一条从千尺幢、百尺峡、老君犁沟到云台峰、三元洞、苍龙岭的十分陡峭的山路。由于华山山势奇险，明代以前除少数道士和樵夫外，游览的人很少。明清以后，由于山路的开拓，游人才渐多。

上　图　东峰山顶的二十八宿潭是
　　　　长年流水形成的28个石臼。

左下图　北峰苍龙岭是通往其他诸
　　　　峰的通道。它形如苍龙，
　　　　全长约1500米，石阶宽仅
　　　　1米。岭脊坡度为40℃，行
　　　　走其上心惊目眩。

右下图　西峰舍身崖笔立千仞，为
　　　　华山绝险之地。

西峰悬绝异常，峰顶有巨石，状若莲花，故又名莲花峰。

延安圣地

延安位于陕北黄土高原中部，从1937年至1947年，它一直是中共中央所在地和陕甘宁边区首府，是中国革命的指导中心和总后方。延安保存着很多革命遗迹，再现了中国革命的光辉历程。

宝塔山

宝塔山又名嘉岭山，在延安市东的延河之滨。因山顶有一座巍然屹立的古塔而得名。

古塔建于唐代，是一座9层砖塔，平面为8面8角，高44米，为楼阁式建筑，底层有南北二门，门额上分别刻有"俯视红尘"和"高超登落"字样。塔内有阶梯，可供登临顶层，鸟瞰延安全景。

在革命战争年代，中共中央曾在延安领导了中国革命，共产党及其领导者，好像灯塔一样，给中国革命指明了方向。因此宝塔山上的宝塔就成了革命圣地延安的象征，经常出现在文人和画家的笔下。

专家指点
西安至延安有公路、铁路、民航班机，但参观黄帝陵和黄河壶口瀑布只能乘坐汽车。

杨家岭革命旧址

　　距延安市西北约3公里的杨家岭有毛泽东、周恩来、刘少奇、朱德以及中共中央办公厅的办公旧址。从1938年至1940年，1942年至1943年，中共中央曾在这里领导了中国抗日战争，领导了著名的延安整风运动和大生产运动。1945年4月23日，中国共产党第七次全国代表大会在这里召开。

王家坪革命旧址

　　王家坪村位于延安西北。1937年至1947年，这里是中共中央革命军事委员会和八路军总部的所在地。在这里可以参观毛泽东、朱德等人的旧居，还可以参观延安革命纪念馆，馆内陈列着珍贵实物、文献资料和图片，介绍了党中央在延安领导中国革命的光辉历程。

　　1946年1月至1947年3月，毛泽东在此写出了《集中优势兵力，各个歼灭敌人》等重要文章。

枣园革命旧址

　　枣园位于延安西北约7公里处，这里曾是中央书记处的所在地，有毛泽东、朱德、刘少奇、周恩来、任弼时等人的旧居。毛泽东在这里写有《为人民服务》、《论联合政府》、《抗日战争胜利后的时局和我们的方针》等许多重要文章。

陕北黄土高原上的窑洞是孕育了新中国的地方。

陕北黄土地

黄河依旧，黄土依旧，世界斗转星移，生命生生不息，在这片广博的土壤中孕育着深厚的黄土文明。

陕北腰鼓

陕北地区普遍流行腰鼓，各地流派不同，风格各异，大体可分为文鼓和武鼓两大类。文鼓风格细腻，鼓点丰富，舞步活泼；武鼓风格粗犷，动作激烈，气势磅礴。安塞腰鼓、洛川蹩鼓和宜川胸鼓被称为"延安三鼓"。

专家指点

去壶口瀑布最好在7～8月份，此时高温多雨，河水陡涨，游人可以领略"黄河之水天上来，奔腾到海不复回"的壮观景色。

《水经注》载："禹治水，壶口始。"可见壶口瀑布早负盛名。壶口两岸，高山对峙，好像一把巨大的茶壶，奔腾的河水从50米宽的壶口飞泻而出，猛跌落20米，坠入深潭中，激起束束水柱，十分壮观。空中黄浪奔涌，水汽蒸腾，一条七色彩虹终年悬挂在黄水入壶口处的上方。

天下黄河一壶收

黄河壶口瀑布位于陕西省延安境内的宜川，它是黄河唯一的大瀑布，也是我国第二大瀑布，仅次于贵州的黄果树瀑布。

陕北剪纸

剪纸在陕北各地都有，而以三边的剪纸最为著名，艺术成就也最高。所谓三边是靖边、定边及定边所辖的安边镇的合称。三边剪纸是陕北剪纸艺术的一个地方流派，既有浓厚的装饰趣味、欣赏魅力，又有很大的实用价值。

剪纸内容丰富，题材广泛，凡是看到的，听到的都可剪成。在表现手法上，大胆取舍，变形夸张，既纤细秀美，剜空透亮，又粗犷大方，浑厚古朴，达到洒脱中见细腻的艺术效果。

剪纸艺人既有年逾花甲的老大娘，也有年轻媳妇和七八岁的女娃娃。

陕北窑洞

到陕北旅游，无论是游览延安，还是游览榆林地区，抬头低头随处可见那或傍山而建、或平地而箍、或沉入地下的窑洞，一孔孔，一排排。有的村落，地面上并不见有房舍，而地下却有若干人家，构成黄土高原一种独特的风貌。

陕北的窑洞主要有3种：用石砌的石窑；用砖砌的砖窑；在土崖上挖出窑洞，安上门窗而成的土窑。土窑有一种是在黄土断崖边，并列向里掘入，成为若干不相通的单窑；另一种自平地掘入，先成一大平底四方阱，然后从四壁各自向里挖成若干单窑。窑洞上可以行人走马，甚至可以走载重大车。

甘 肃

甘肃虽不是游人聚集的旅游大省，但她的美有种远离尘嚣的孤秀之姿，同样让人神往。地处塞外荒芜之地，甘肃的山水风光并不出众，最能让游人驻足的是那些极富人文色彩的遗迹故址。莫高窟声名远播，那千年宝藏的优美和神秘吸引了全世界的兴趣；而稍识唐诗的人也一定会希望去看看玉门关和阳关，那是牵扯着多少代离人谪士的伤痛地方。另外，壮丽的天下雄关，湍急的黄河泗渡，以及炳灵寺石窟、文庙西夏碑也都是不容错过的好去处。

甘肃旅游指南

景点推荐

五泉山	兰州市内南面的皋兰山北麓
白塔山	兰州市黄河北岸
崆峒山	平凉市境内
文庙西夏碑	武威城区东南隅
罗什寺塔	武威市城北大街西侧
沙漠公园	武威市城东19公里处
张掖大佛寺	张掖市区
马蹄寺石窟群	距张掖市约65公里的肃南县境内
丁家用东晋壁画墓	酒泉市西北68公里处的戈壁滩
嘉峪关	嘉峪关市区西7公里
敦煌莫高窟	敦煌市境内
鸣沙山、月牙泉	敦煌城南约5公里
沙洲城、白马塔	敦煌城西约半公里处
玉门关、阳关	敦煌城西北
麦积山石窟	天水市东南30多公里处
拉卜楞寺	夏河县城西

旅游购物

兰州市的铁路新村商业区、中心广场、南关－西关商业区、火车西站
－西津路商业区是购物的好去处。

兰州：白兰瓜、醉瓜、大板瓜子、冬果梨、软儿梨、酥木梨、蜜桃、刻
　　　葫芦、卵石雕、水烟、百合干、百合粉、洮砚、皇台酒

张掖：乌江米、苹果梨

天水：雕漆漆器、花牛苹果、黑木耳、猴头蘑

临夏：砖雕、大桃杏、黑果子

文化娱乐

甘肃博物馆	兰州市七里河区
酒泉博物馆	酒泉市区
敦煌市博物馆	敦煌市境内

特色餐饮

兰州清汤牛肉面	兰州市平凉路金鼎牛肉面馆、翡翠楼、张掖路民族餐厅
灰豆子	兰州市张掖路中段北侧的兰州市第一工人俱乐部"杜维成灰豆汤"店
百岁鸡	兰州市东岗西路、西固区等处的"百岁鸡"火锅连锁店
唐汪手抓羊肉	兰州市七里河区小西湖一带的饮食市场
陈春麻辣粉	兰州市工贸商场后院"陈春拙"
高三酱肉	兰州市张掖路西端的福华轩

特色小吃

兰州：金城白塔、金城八宝瓜雕、酿白兰瓜、百合桃，黄鸡丝、金鱼发菜、烤小猪

平凉、庆阳：泾川罐罐馍、静宁锅魁、砂子馍、静宁烧鸡、银线吊葫芦

天水、陇南：呱呱、鸡丝碎面

临夏：长面、面片、酿皮子、羊杂碎、黄酒肉

甘南：藏包子

游程建议

兰州市内名胜游

上午沿黄河南岸可参观中山桥、黄河风光、白塔山公园、水车园、"黄河母亲"雕塑等景点，沿途可看到筏客搏浪、平沙落雁、丝路古道、西游记、绿色希望等雕塑群；尔后赴省博物馆参观。下午游览五泉山公园、到铁路局市场、商场购物，晚饭后到兰山公园欣赏兰州夜市风光。

周边旅游日程

● 兰州－刘家峡、炳灵寺游　游客自备车旅游，当日即可返回；如在兰州汽车西站乘长途车前往，当日参观后可夜宿刘电宾馆或永靖县城，次日乘早班长途汽车返回兰州。

● 兰州－临夏、夏河游　第一天赴临夏，途中参观松鸣岩；在临夏市午餐后，参观红园、南关清真大寺、东宫馆，当晚赴夏河县城夜宿。第二天参观桑科草原、拉卜楞寺、贡唐宝塔，午餐后返回兰州。如在兰州汽车西站乘坐长途汽车前往，至少需3日游程。

● 兰州－渭源游　第一天赴渭源县城，当日游览灞陵桥、首阳山和天井峡；第二天游览莲峰山；第三天清晨两三点起床，赴太白山观日出、云海后，游览下山，当日即可返回兰州。游客需自备旅游车。

● 兰州－陇西游　从兰州乘汽车或火车前往，约4小时左右即到，参观李氏龙官遗址、仁寿山公园、文峰塔、威远楼等景点，当日可乘夜里火车返回兰州。

河西走廊寻古游

文庙西夏碑－汉古墓群－古酒泉－敦煌莫高窟－东晋壁画墓－古代岩刻画－玉门关－古阳关－渥洼池－嘉峪关－魏晋壁画墓－白马塔－罗什塔

天水、陇南遗迹游

秦安大地湾遗址－伏羲庙－二十里铺佛公峤－马跳泉渗金寺－三国遗址群（街亭古战场、诸葛亮军垒、阳平关古道、孔明帽房屋）－麦积山石窟－黄龙碑－玉泉碑

特别提示

● 兰州地处季风气候区与非季风气候区的过渡地带，具有典型的温带半干旱大陆性季风气候，有温差大、降水量少的特点。

● 兰州夏无酷暑，冬无严寒，生活条件良好。尤其在夏天，"莫道兰州近阳关，避暑胜过昆明城"；在冬天，从11月1日至次年3月30日，全城暖气全天开放，室内温暖如春，比南方的城市还要舒适。

● 兰州由于日照强烈，温差大，利于瓜果糖分积累，瓜果种类多而极其甘甜，使兰州有"瓜果城"之美誉。

节庆指南

桃花会	4月	兰州市安宁区桃园	赏桃花
春节花会	农历正月初十至元宵节前后	兰州市东方红广场	花卉展览
毛兰姆法会	农历正月初三至十七	夏河县拉卜楞寺	举办放生节、晒佛节、酥油花供灯会
七月说法会	农历六月二十九至七月十五	夏河县拉卜楞寺	诵经、观看演出
国际滑翔节	7月	嘉峪关滑翔基地	滑翔表演、比赛
伏羲文化节	6月13日	天水伏羲庙	民俗文艺表演
莲花山花儿会	农历初一至初六	临夏康乐县南莲花山	游山、对歌、敬酒
白马山寨采花节	农历五月初五至初六	甘南舟曲西南300多公里	采花
瓜州赛瓜节	6月	酒泉安西县	瓜果展销

河西走廊

　　河西，又称河西走廊，位于甘肃西部。其历史悠久，自古就是丝绸之路的咽喉之地和铁马金戈的古战场。这里有巍峨的雄关、扑朔迷离的西夏碑、神奇的鸣沙山……为游人所向往。巍峨雄关，一是万里长城的最后一道门户——嘉峪关；一是丝绸路上的著名城关——玉门关。

嘉峪关的角楼

嘉峪关

　　嘉峪关位于河西咽喉之地，南有终年积雪的祁连山，北是连绵起伏的马鬃山，地势十分险要，自古被誉为河西第一隘口，是历代封建王朝戍边设防的重地，也是古代丝绸之路及东西文化交流的交通要道。

　　嘉峪关呈方形，面积达32000多平方米，规模宏大，气势雄伟，整个建筑由内城、外城、城墙等部分组成，整体功能上是以军事防卫为主，显示"城内有城，城关重重"之势。

　　嘉峪关从内部结构到外部造型，都突出了中原文化的特点。它作为内地与西域，中原与大漠之间纷争与融合的历史见证，悲壮而辉煌。

嘉峪关全景

玉门关及阳关故址

玉门关故址位于甘肃省敦煌市城西北80公里的戈壁滩上。它与酒泉的玉门关是两个地方，相传"和田玉"经此输入中原，因而得名。它是古代"丝绸之路"北路必经的关隘。现存的城垣完整，总体呈方形，东西长24米，南北宽26.4米，残垣高9.7米，全为黄胶土筑成，面积633平方米，西墙、北墙各开一门，城北坡下有东西大车道，是历史上中原和西域诸国来往及邮驿之路。

玉门关古城

古烽火台

阳关故址在敦煌市城西的古董滩上，位于玉门关南，而古以南为阳，故称"阳关"，阳关是古代中外陆路交通咽喉之地，也是"丝绸之路"南路必经的关隘。

古城关东面为农田，远处有寿昌城废址，三面沙丘，沙梁环抱，流沙茫茫，一望无际；北面墩墩山上有一汉代烽燧，保存完好；东为红山口；西有南北走向的深沟，长约20米，沟中泉水涓涓，甚为甘冽，两岸有汉墓多座。现在古阳关虽已被流沙掩埋了，但从古董滩向西翻越几道山梁，仍能看到阳关的遗迹，其墙基隐约可辨，碎瓦破砖遍地散落。

文庙西夏碑

文庙位于甘肃中部武威城区东南隅，坐北向南，总面积1500多平方米。庙内松柏参天，清幽恬静。主建筑分东西两组。西以大成殿为中心，前有泮池、状元桥，后有尊经阁，中为灵星门、戟门，左右有名宦、乡贤祠和东西两庑。大成殿是文庙的正殿，面宽3间、进深3间，重檐歇山顶，顶置9脊，鸱吻螭兽俱全。脊皆以缠枝莲纹砖砌筑，正脊中设桥形火球。屋面尽覆琉璃筒板瓦。棂格隔扇、腰华板、裙板等皆有简单雕饰。周围绕以回廊、高台基，具庄重、肃穆、文雅之风韵。

西夏碑，原名"重修护国寺感应塔碑"。

文庙中现仍完好保存着被誉为传世之谜的文物西夏碑，又名"重修护国寺感应塔碑"，是全国少有的石刻"珍册善本"。

西夏碑高2.5米、宽0.9米、厚0.3米，两面撰文。正面碑额为西夏文篆书，两行8字，意为"敕感应塔之碑文"，正文为西夏文楷书，共28行，每行65字。背面碑额刻汉字小篆，意为"凉州重修护国寺感应塔碑铭"，正文为汉字楷书，计26行，每行70字，是正面碑文的汉译文，碑文内容是：称颂先祖的功德；护国寺富丽堂皇的景象；"武威当四冲地，车辙马迹，辐奏交会，日有千数"的繁华市容；在增饰宝塔时"众匠率职，百工效技"的民风民技，及各族人民和睦相处的历史片断。

西夏碑碑额呈半圆形，题名上端刻有云头宝盖，四周雕刻有忍冬花纹，左右两侧各刻有一位体态窈窕、翩翩欲飞的伎乐菩萨，那轻盈飘动的绸带、美如游龙的舞姿，使人想起了白居易《胡旋女》中描述的"弦鼓一声双袖举，回雪飘摇转蓬舞。左旋右转不知疲，千匝万周无己时"的胡旋舞。

熠熠夜光杯

夜光杯，是酒泉的名产，因倾酒入杯，对月映照，杯壁反光，与酒色相耀，熠熠生辉而得名。夜光杯是以祁连山的美玉为原料制作的，其玉质优良，工艺精绝，具有耐高温、抗严寒、斟美酒味浓色艳的特点，是国际市场上名贵的工艺品和日用品。

鸣沙山—月牙泉

　　游丝绸之路，过敦煌重镇，必有一处自然奇观令你驻足，那就是绝妙的鸣沙山与月牙泉。鸣沙山连绵起伏，山"如虬龙蜿蜒"，金光灿灿，宛如一座金山。怀抱之中躺着一泓月牙形的清泉，泉水碧绿，如翡翠般镶嵌在金子似的沙丘上。泉边芦苇茂密，微风起处，碧波荡漾，水映沙山，蔚为奇观。

　　鸣沙山曾被称为"沙角山"。当天气晴朗时，沙鸣有声，如雷轰响，闻于城内。"鸣沙山"之称由此而来。游人攀上沙丘，由山顶往下滑，沙砾随人体而落下，也会发出一阵阵轰响，近闻如兽吼雷鸣，远听如神声仙乐。自古人们将这一景观传为一奇。

　　对于月牙泉百年遇烈风而不为沙掩盖的不解之谜，有许多说法。有人认为，这一带可能是原党河河湾，是敦煌绿洲的一部分，由于沙丘移动，水道变化，遂成为单独的水体。因为地势低，渗流在地下的水不断向泉中补充，使之涓流不息，天旱不涸。这种解释似可看作是月牙泉没有消失的一个原因，但却无法说明因何飞沙不落月牙泉。

古酒泉

　　古酒泉又名酒泉公园，在酒泉城东1公里处，进入园门，满目幽绿，嘉木成荫，奇花夹道。步入月门，映入眼帘的是一座清宣统辛亥三月立的大碑，碑面刻有"西汉酒泉胜迹"六个刚劲的大字。石碑后有一清泉，名曰"酒泉"，距今已有2000年的历史。

酒泉城

石窟艺术宝藏

甘肃有着无数的古迹，如世界闻名的敦煌莫高窟、炳灵寺石窟，其雕刻及绘画技艺令人惊叹，是不可多得的艺术宝藏。

敦煌莫高窟的壁画被誉为"东方艺术明珠"，其中尤以飞天最为著名。

敦煌莫高窟

敦煌莫高窟，从公元4世纪前秦第一尊佛像的出现，经过北魏、隋、唐、宋、元等历朝的不断雕凿，不断描绘，越加宏伟、壮观。莫高窟现有石窟492座，壁画45000多平方米，是世界上历史最悠久、内容最丰富、保存最完好的文化艺术宝库。如果把每个洞窟中的壁画连接起来，可组成一条长达45公里的巨型画廊。

敦煌壁画的题材广泛，涉及社会的多个方面。既有统治阶层饮宴欢乐图，又有劳动人民生产生活的场面，其传统的耕种及收获图中，自然是表现的主题之一。

西域古道的艺人，在这里还留下了一些彩色泥塑。这些塑像，造型优美，工艺绝伦，十分强调人物体态的力度和肌肤的健美。

敦煌是一座辉煌的艺术宫殿。艺术家，在这里如痴如醉地追溯艺术的本源；历史学家，在这里如饥似渴地寻找历史的脉系。在古丝绸之路上，在碧天黄沙之间，敦煌壁画以其特有的魅力，吸引着众多游客。

敦煌彩色塑像

专家指点

前往敦煌莫高窟可从北京、兰州、乌鲁木齐等地乘飞机，也可从兰州、乌鲁木齐乘新线火车在柳园站下车，换乘汽车前往，柳园至敦煌130公里。

甘肃敦煌莫高窟外景

炳灵寺石窟

炳灵寺石窟位于甘肃永靖县城西约50公里的积石山中。"炳灵"为藏语"千佛"或"十万佛"之意。石窟开凿在黄河北岸大寺沟的峭壁之上，峭壁长2公里，上下四层，高低错落。其上的洞窟为西秦、北魏、北周、隋、唐直到明、清各代的作品，唐代的约占三分之二。据统计，上有窟龛183座(其中窟34座，龛149座)，大小佛像694尊，泥塑82尊。另有石雕方塔1座，泥塔4座，壁画约900平方米。

北魏雕塑

唐述窟中的西秦壁画

编号为169的洞窟"唐述窟"造于十六国的西秦(385～431年)时期，距地面约60米。窟内雕像，造型刚健挺拔、线条流畅，所绘壁画，构图古雅，画中人物衣袂飘逸，栩栩如生。窟北部有墨书题迹一方，上书"建弘元年"(420年)字样，系迄今所发现的最早的石窟题记。

炳灵寺石窟中高达
27米的摩崖大佛

雄奇山色

甘肃的城关让人抚古忆昔，甘肃的石窟让人流连忘返，甘肃的山色让人啧啧称赞……山头夕照，关外月色，陶醉了络绎不绝的中外游人。

麦积山风景区

麦积山风景名胜区位于天水市东南30公里处，主要分为"麦积山"、"仙人崖"、"石门"三个景区。在僧帽山、罗汉岩、三扇岩、独角峰等奇峰环抱中，麦积山一秀突起，以山上开凿的石窟而闻名于世。自东晋十六国的后秦始，直至清朝，历代不断开凿，麦积山石窟遂成为"青云之半，峭壁之间，镌石成佛，万龛千窟，虽自人力，疑为神功"的巨大石窟群，系统地反映了我国千百年来雕塑艺术的发展和演变过程，展示了我国雕塑艺术的杰出成就。

北魏石刻画

麦积山石窟洞龛开凿于悬崖峭壁之上，层层相叠，错落有致，洞窟间全靠架在崖面上的凌空栈道相连，其惊险陡峻国内罕见。麦积山石窟以精美的塑像闻名于世，现有石窟佛龛194个，内存泥塑、石雕像7200多件，壁画超过1000平方米。石窟内的塑像将神佛人格化，极富生活情趣。

仙人崖

仙人崖位于麦积山东部，这里群峰对峙，赭红色山上遍植松柏、黄栌，山腰藤萝掩翳着天然洞穴，泉涌清流，神奇清幽，素为陇右林泉胜境。

麦积山岩画

麦积山石窟塑像

崆峒山

崆峒山位于甘肃省平凉市境内，海拔2123米，是古代"丝绸之路"西出关中的"西来第一山"，素有"两镇奇观"、"崆峒山色天下秀"的美誉。

崆峒山历史文化悠久，为中国道教发祥地之一。相传轩辕黄帝曾到此问道于广成子。秦汉时山上已有庙观建筑，后经历代修葺，琳宫梵刹遍布诸峰，在棋盘岭、舍身崖、雷声峰等山中有9宫8台12院等42处景观，历代文人名士在此留有大量诗词、游记、摩崖石刻、碑记。这里有具道教建筑特色的隍城建筑群，雄险惊心的上天梯，蔚为壮观的五台寺观，"丝绸之路"的通道——鸡头山，古人类文化遗迹齐家文化遗址——等人文景观。

崆峒山的自然景观和人文景观构成了天门铁柱、中台宝塔等7大景区和12个景点，其间山门崔巍，天梯高悬，晨钟暮鼓，烟云缭绕。游人身临其境，大有浊念顿消，飘然欲仙之感。

崆峒山上的庙宇

崆峒山景色

崆峒山主峰

> **甘南藏包子**
> 甘南小吃，风味独特，其中尤以藏包子脍炙人口。甘南藏包子，又称"卓华包子"，因形如牛眼睛，又有"牛眼睛包子"之称。它外皮雪白薄亮，透过包子皮，里面的馅子清晰可见，肉如玛瑙，菜似翡翠，煞是好看。吃时需先从顶端吸吮包子内的油水，然后食之。

崆峒山林木葱茏，峰险石奇，又有宛如白练的泾河、胭脂河绕山南北交汇东去，既具北方山势之雄，又兼南国山色之秀。其主要古迹胜景，有气势磅礴的马鬃山，奇特的香山胜景，幽雅别致的五台内光，神秘的玄鹤洞，引人入胜的弹筝峡、月石峡等。

拉卜楞寺

拉卜楞寺不仅规模宏伟，气势壮观，还珍藏有数以万计的文物和经典，是西北黄教寺院中的一颗明珠。

雄丽的寺院

拉卜楞寺位于甘肃省夏河县城西，始建于清康熙四十八年(1709年)，占地80余公顷，是西藏佛教格鲁派(黄教)六大寺之一。原有六大扎仓(学院)、十八囊欠(活佛公署)、十八拉康(佛寺)以及金塔、辩经坛、藏经楼、印经院、经轮房(嘛呢房)等，寺西有嘉木样别墅和花园。山腰以上，崇楼广宇，金瓦朱甍，墙垣均为红、黄色，寺顶四隅立铜质鎏金宝瓶，飞檐描金错彩，华丽非凡。

珍藏的古籍经卷

拉卜楞寺内的舍利塔

拉卜楞寺不仅是一个宗教中心，也是一所高等学府和古籍博物院，珍藏文物数万件、藏文经典6万余册，木刻经板7万多块。拉卜楞寺内有铜佛像2.9万多尊，其中寿安寺的佛像高达12米左右，红宫里的鎏金铜佛像有262尊。

正月十三的晒佛节

拉卜楞寺的飞檐金顶

晒佛节

　　晒佛节，又称亮佛节，在农历正月十三日午前进行。开始时，由大法台率领各囊欠代表和寺内所有在职僧官，从寺院到河南蒙旗亲王府前的南山麓举行晒佛仪式。由"花身土地"为前导，边跳边舞，狮虎双跃，不时向拥来的群众跌撞，为维持队伍秩序，僧官"夏俄"也不时挥动手中柳条，指挥着围观顶礼的群众，保持大法台率领的僧众队伍的整齐。尽管如此，仍有群众伺机跑到彩绣大佛像前顶礼。当晒佛队伍把当年要晒的佛在晒佛台挂好后，僧众即刻颂赞佛陀功德，念沐浴经。群众无不肃然，默默念诵，祈祷平安。

酥油花供灯会

　　酥油花供灯会在农历正月十五晚举行。这时，各个学院、囊欠的僧人们如八仙过海各显神通，在大经堂周围各自固定的位置上支好木架，将制好的酥油花陈列其上，并供上酥油灯。这些由糌粑、酥油、颜料塑成的油塑，无论拟人还是状物，均形象逼真，栩栩如生，富有立体感，将人物的感情、山脉的折皱、花瓣的纹理、树叶的脉络雕塑得精致细腻、惟妙惟肖。特别是盆景花卉油塑，都塑得水灵灵的，仿佛能沁透出缕缕清香。观看的人络绎不绝，摩肩接踵，直至深夜。

拉卜楞寺大经堂

民俗采风

甘肃的民俗风情丰富多彩。连城鲁土司衙门、黄河古渡和飞桥、白塔山灯会、水车与皮筏，以及脍炙人口的卓尼洮砚、刻葫芦、卵石雕、白兰瓜、小吃等，足以让游人畅怀释乐。

羊皮筏子

羊皮筏子，是黄河上一种古老的水上运输工具，一般由14个充气羊皮成三行捆在木架上组成。羊皮筏子吃水浅，不怕搁浅，对航道要求不高；不怕触礁碰岸，安全性好；制作简单，操纵灵活，没有码头照样可以靠岸；运输成本低，不消耗能源；因此，这种古老的水上运输工具一直保留至今。

黄河上的船夫正在吹羊皮筏子

白兰瓜

白兰瓜，是甜瓜的一种，由美国"蜜露"甜瓜和前苏联"俄国甜瓜"杂交而成。在兰州已有60年的种植历史。

白兰瓜外形椭圆或浑圆，成熟单瓜平均重4斤。瓜皮白中泛黄，瓜肉淡绿或杏黄，呈半透明状，宛如美玉、翡翠。瓜肉肥厚、瓜味独特，如家里放有白兰瓜，则满室生香。其果体、果质，不仅优于美国王牌甜瓜，而且比之原"蜜露"甜瓜和"俄国甜瓜"也高出几筹。

白兰瓜瓜汁甘甜，平均含糖量达14%以上，最高的可达19%，含有较多的蔗糖、果糖、葡萄糖、多种维生素和矿物质，具有利小便、促代谢、去暑疾、清烦热的功效。

卓尼洮砚工艺厂藏族工人在雕刻洮砚

卓尼洮砚

洮砚历史悠久，早在宋代以前就以优良的质地、雅丽的色彩而闻名遐迩，成为历代文人墨士争觅之物。

它是由洮石雕制而成。洮石学名辉绿岩，属水成岩的一种。其质坚而细，莹润如玉，叩之无声，呵之出水珠。用以制砚，贮水不耗，历寒不冰，涩不留笔，滑不拒墨，具有发墨快、研墨细、不损毫，挥洒起来浓淡相宜，得心应手等特点。

洮砚色泽以绿色为主，尤以"黄标绿漪石"最为名贵。洮砚可以因材施艺、因色构图，雕琢成各种精致文雅、古香古色、独具一格的工艺品。其制做要经过下料、制坯、石刻等工序。这些精美绝伦的洮砚，远销日本、东南亚等地，是国际市场上享誉极高的珍品。

兰州牛肉面

牛肉面，又名牛肉拉面。兰州清汤牛肉面，是兰州历史悠久、经济实惠、独具特色的地方风味小吃。牛肉面最早始于清光绪年间，系回族老人马保子首创。

牛肉面不仅具有牛肉烂软，萝卜白净，辣油红艳，香菜翠绿，面条柔韧、滑利爽口、汤汁清爽、诸味和谐，香味扑鼻，诱人食欲等特点，而且面条的种类较多，有宽达二指的"大宽"、宽一指的"二宽"、形如草叶的"韭叶"、细如丝线的"一窝丝"、呈三棱条状的"荞麦棱"等，游人可随爱好自行选择。

拉面技艺，堪称一绝

甘肃人喜好喝茶，茶具皆用"三炮台"盖碗，习惯将春尖茶与桂圆、冰糖、杏干、葡萄干相拌，用刚沸的开水泡制，称五香盖碗茶，为待客品茗的上品。

专家指点
嘉峪关市旅游景点都离市区很近，目前还没有通景点的班车。游客从市区去景点，需乘坐出租车。市内现有出租车300多辆，分布范围很广，在宾馆、饭店、娱乐场所和夜市，及大街小巷，都有出租车昼夜服务，搭乘方便。每辆出租车都装有计价器，车窗上都标有起步价和每公里单价。

皮影戏

甘肃皮影戏主要流行在庆阳。它是在幕后打出灯光，由演员操纵、精雕细镂、扮相俊美、服装鲜艳的皮制人，伴以唱、白，将剧中人物有声有色地表现在白色幕布上的地方戏。

皮影戏讲究"演、唱、形、神"，表演者既演唱，又挑线，连乐队总共才七八个人。演员通过皮人跑场、翻转、武打、提袍、甩袖、吹胡、耍翎、摇翅、亮靴等舞台动作和唱腔、道白，将复杂的人物故事表现得淋漓尽致、扣人心弦，具有强烈的艺术感染力。

庆阳皮影戏影人约0.4米，最大者可达0.7米，唱腔以陇东道情、秦腔、眉户、碗碗腔为主。

青　　海

青海的山山水水有着空旷而高远，宁静而生动的特别韵味。在这里，景物的色彩虽很浓烈，但能让人真切感受到其和谐、亮丽。日月山、祈连山的雄伟奇峻让人神往，青海湖、星宿海的碧水蓝天让人迷醉，这里还是黄河、长江的发源地。除了山水之美，历史久远的泽库石经墙和精致的塔尔寺堆绣、壁画也同样会让你赞叹不已。

青海旅游指南

景点推荐

青海湖	距西宁 180 公里左右
虎台	西宁西郊杨家寨
东关清真寺	西宁市内东部
北禅寺	西宁市北郊 2 公里土楼山
塔尔寺	西宁市西南约 30 公里的湟中县
柳湾基地	乐都县东
瞿昙寺	乐都县南
西来寺	乐都县东关
五峰山	互助县城西 15 公里
佑宁寺	互助县东南 35 公里
白马寺	互助县内
文成公主庙	玉树县
五屯寺	同仁县隆务镇东北
孟达林区	循化撒拉族自治县
茶卡盐湖	乌兰县
万丈盐桥	格尔木市察尔汗盐湖
龙羊峡水电站	共和、贵南两县间
长江源	唐古拉山北侧格拉丹冬雪峰
黄河源	玛多县巴颜喀拉山北麓

旅游购物

名贵药材：麝香、鹿茸、大黄、羊角、冬虫夏草、贝母、雪莲花、全蝎、硼砂

地方特产：湟源陈醋、互助头曲、青稞酒、黑紫羔皮、青海湖湟鱼

民族工艺品：哈达、氆氇、藏马靴、精编牦牛尾巴、银制装饰品、裘皮服装、毛毯、毛纺织品

瓜果美食：白兰瓜、麻风醉瓜、冬果梨、软儿梨、酥木梨、蜜桃

特色餐饮

羊肉串、羊杂碎、酿皮儿、麦仁饭、麻食儿、拉条子、尕面片、凉粉儿、凉面叶、手抓羊肉、牛蹄膀、粉汤、熬饭

游程建议

青海湖环湖游
西宁-塔尔寺-青海湖-茶卡盐湖-鸟岛-中国原子弹基地-西宁

青海湖鸟岛休闲游
西宁-塔尔寺-青海湖-鸟岛-西宁-李家峡-坎布拉国家森林公园-南宗寺-尼姑寺-西宁

青海风景游
西宁-塔尔寺-青海湖（日月山）-鸟岛（草原风光、藏族风情）-原子城-互助（土族风情安昭舞）

节庆指南

欢乐节	6月	藏族人民生活区
青海湖赛马区	夏秋时节	青海藏族生活区
草原歌舞节	夏秋时节	玉树地区藏族生活区
古尔邦节	伊斯兰教历十二月十日	回族人民居住地
开斋节	伊斯兰教历十月初一	回族人民居住地
七月会	7月	土族人民生活区
那达慕大会	7、8月之间	蒙古族人民居住地

特别提示

在游览青海某些地区之前，为避免身体能量的过度消耗，抵抗高山反应，可先进行一些适当的预防：

● 多吃水果，特别是核小汁多的水果，会有效地减轻高山反应。

● 游玩期间，应定时服用一些感冒药和消炎药，并且应注意保暖，防止感冒病症在高山缺氧的情况下转化为肺气肿。

塔尔寺

　　塔尔寺位于青海省湟中县鲁沙尔镇西南，是藏传佛教格鲁派六大寺院之一。据历史记载，塔尔寺建于明嘉靖三十九年(1560年)，占地面积40万平方米，整个寺院依山势起伏，富丽堂皇。内有大金瓦寺、小金瓦寺、小花寺、大经堂、九间殿、大拉浪、如意塔、太平塔、菩提塔、过门塔等大小建筑，共1000多个院落，4500多间殿宇，组成一座汉藏艺术风格相结合的建筑群。在雕塑、堆绣、壁画和酥油花等方面，则反映了藏族的独特风格，达到了很高的艺术水平。

塔尔寺的宗喀巴大师像

黄教圣地

　　塔尔寺不仅是中国喇嘛教的圣地，而且是造就大批藏族知识分子的高级学府之一，寺内设有显宗、密宗、天文、医学四大学院。每年农历正月、四月、六月、九月举行四大法会，二月、十月举行小法会，法会吸引了数以万计的藏、蒙、土、汉各族群众前往瞻仰朝拜，从而使全寺成为西北地区佛教活动中心，并在全国和东南亚一带享有盛名。

"酥油花"展是塔尔寺正月法会的组成部分，在元宵夜进行，地点在九间殿的山门前，即社火院的外边。

大经堂内，宗教艺术珍品比比皆是，其中"堆绣"是塔尔寺艺术三绝之一。"堆绣"与其他刺绣迥然不同，是"剪堆"和"刺堆"而成的。

塔尔寺三绝中的壁画，大多描绘了佛教中的传说。

大金瓦寺

大金瓦寺建于明初,是塔尔寺最早的建筑。相传藏传佛教格鲁派创始人宗喀巴出生时,其母将其胞衣埋在该殿所在地,后来在埋胞衣的地方长出一株菩提树,树上长出10万片叶子,每片叶子上都现出一尊狮子吼佛像。其母便在此处建起一座小塔,并修一瓦屋以覆塔身。后人又在小塔的基础上建起一座高11米的大银塔,藏语称其为衷本,意为十万佛像,并建起大殿。后来整个寺院形成,便名衷本,译为塔尔寺。大金瓦寺顶为鎏金铜瓦,内悬清乾隆皇帝赐"梵教法幢"匾额,并珍藏佛经数百卷,内有《大藏经》一部。

大金瓦寺位于塔尔寺正中,是塔尔寺的主殿。

如意宝塔

如意宝塔建于清乾隆四十一年（1776年）,共八座,为纪念释迦牟尼八件大事而造。一塔纪念释迦牟尼初生时走了七步,步步生莲花,故名莲聚塔;二塔纪念释迦牟尼初转法轮,宣讲四谛要义,故名四谛塔;三塔纪念释迦牟尼平息众僧争议,故名和平塔;四塔纪念释迦牟尼悟道成正觉,故名菩提塔;五塔纪念释迦牟尼降魔伏怪的种种奇迹,故名神变塔;六塔纪念释迦牟尼重渡公众生,故名降凡塔;七塔纪念释迦牟尼战胜魔军,故名胜利塔;八塔纪念释迦牟尼圆寂,故名涅槃塔。

小金瓦寺

小金瓦寺建于明崇祯四年（1631年）,原为琉璃瓦顶,清嘉庆七年（1802年）改成鎏金铜瓦。殿内有一匹白马标本,传说九世班禅曾骑此马从西藏出发,一日内即赶至塔尔寺。小金瓦寺内供奉有许多护法神像,故又称护法神殿。

瞿昙寺

　　青海的古老建筑群在历代战火中屡遭焚毁,能完整地保留下来的极少,而瞿昙寺是保存最完整的明代建筑群。瞿昙寺的殿堂建筑有点像故宫,据说当初就是仿照故宫修建的,所以又有"小故宫"之称。

　　瞿昙寺的周围群山围绕,近处林木葱茏,郁郁苍苍,流水潺潺,鸟语花香;远处乐都南山终年积雪,寒光逼日,"皎洁凌空似玉山","影射长天迷素鹤,光浮浅水失群鸥"便是这里真实的写照。在雪岭翠山的映照下,瞿昙寺更加幽静壮丽,古香古色。从山门而入,迎面就是高大的金刚殿。穿过金刚殿,即是瞿昙殿和宝光殿;左右两边殿堂众多。依次而进,后边是最宏伟的隆国殿。从高处看,主要的大殿与山门对齐,建在一条线上。

瞿昙寺殿宇

瞿昙寺的来历

明初,有一位西藏高僧,人称三罗喇嘛,从西藏来到青海湖海心山上静修,后来又到乐都南山弘法,名气越来越大。1389年,朱元璋召他进京,尊为上师。不久,由朝廷出资修建瞿昙寺殿等建筑,并由朱元璋御赐寺名。从此瞿昙寺在乐都南山拔地而出。

隆国殿

　　隆国殿是寺院的主体建筑之一,建于明宣德二年(1427年)。大殿面积为912平方米,高筑坡台之上,飞檐翘角,画梁雕栋,高大雄伟,富丽堂皇。殿内还有一座高达3米的泉神堂,堂中有一眼泉水,人称瞿昙池,据说是神泉,饮之聪明倍加。大殿两边廊房相连,浑然一体,人们称之为"七十二间走水厅"。

瞿昙寺

瞿昙寺建于明代以前。明洪武二十六年，朱元璋曾赐寺额，
上书："瞿昙"，寺因此以"瞿昙"为名。

瞿昙寺壁画

　　瞿昙寺向以壁画闻名，共有五十一间
壁画廊，内绘有巨幅彩色壁画，如连环画
般画出释迦牟尼一生的故事。这些壁画层
次分明。场面宏大，形象生动，线条流畅，
是极其珍贵的佛教艺术品。

瞿昙寺"五十一间壁画廊"上画有
关于释迦牟尼的一组壁画。

青海湖景区

青海湖象一颗晶莹的蓝宝石镶嵌在青海省的东北部。它的四边分别为海东地区、海南藏族自治州、海西蒙古族藏族自治州、海北藏族自治州。青海湖和湖畔广阔的草原，以其秀丽神奇的风景和令人陶醉的人文风俗，构成了一幅完整的青海湖区旅游风情图。

青海湖上的天鹅

青海湖

青海湖古称"西海"。藏语称"错温波"，蒙古语称"库库诺尔"，均表示蓝色或青色湖泊之意。湖面海拔3196米，湖最深处达32.8米，是我国最大的内陆湖泊和咸水湖。水源来自四周高山冰雪融水，无污染源，周围空气清新，夏季凉爽，给人以清爽、幽静、明快之感。冬季湖内冰块被吹到岸上，重叠积累犹如冰山，为青海湖奇景之一。湖中有沙岛、海心山、鸟岛、孤插山(三块石)、海西山等五个形态各异的岛屿，山峦叠秀，景观独特，其中鸟岛尤为闻名天下。

青海湖区四周有大通山、日月山和青海南山等山脉。湖畔有千里草原，绿茵如毯，野花缤纷，羊群、马群、牛群满山遍野，一片草原游牧风光。湖区动植物品种繁多，著名的"唐蕃古道"以及"丝路"辅道在此留存许多历史文化遗址。

鸟岛

鸟岛上气候温和，环境幽静，水草茂盛，鱼虾丰富，布哈河中有甘甜淡水，是鸟类繁殖生息的"天堂"，栖息的鸟类数以万计。进入鸟岛，万鸟齐飞，遮天蔽日，高峰时禽鸟多达10万余只，主要种类为斑头雁、鱼鸥、鸬鹚，还有其它禽鸟20种，是我国鸟类的宝库，也是科研、教学实验基地。

日月山

从西宁出发，沿着青藏公路向西南飞驰，路过青峰翠峦，风景秀丽的湟源峡、日月峡，远远就能看见那高高的日月山。逶迤高拔的山岭挡住了往西的去路，山顶的日月亭在向行人招手，这里是当年文成公主经过的古道，从这里可以通往青海草原直到西藏拉萨。

倒淌河

倒淌河在日月山西边脚下，一股碧流永无休止地向西而去，流入浩瀚的青海湖。

天下河水往东流，偏有此河向西淌，所以人们称此河为"倒淌河"。关于倒淌河的来历，民间有许多传说。据地质学家考察，两亿多年前，由于地壳运动，高原隆起，青海湖成为完全闭塞的湖，使本来向外泄的河只好转过方向向西流。

山口路边立着一块碑，上书雄劲有力的"日月山"三个大字。沿着山路盘旋而上，山顶上日亭和月亭古香古色。人们每到此处，都要下车登岭，俯望那尽收眼底的万里江山：东边是河湟谷地，良田漠漠，柳烟蒙蒙，一幅塞上江南泼墨图；西边是广阔草原，帐篷点点，牛羊成群，一幅风吹草低见牛羊的塞外写意画。日月山自古是农牧区的分界线。过去的出门人过此山就会有"出塞"的感觉，所以在民间流传着"过了日月山，两眼泪不干"的谚语。当然，现在到此不但不会有这类伤感，反而会被美丽的草原牧场风光所吸引。

三江之源

青海位于青藏高原的东北部，地形划分为高山、丘陵、盆地三个阶梯，整个高原西高东低。全境为莽莽昆仑山所盘踞，她的三大支系——祁连山、巴颜喀拉山、唐古拉山，群山错落，遥相呼应。长江、黄河、澜沧江三大水系，就发源在这群山环抱之中。尤其是长江源头诸水组成奇异的扇形水系，形成世界罕见的高原流域三角洲，在青藏高原腹地自成一个自然区域，具有独特的自然风貌和奇特景观。

长江

长江发源于青海省南部的唐古拉山脉主峰格拉丹冬冰峰西南侧的姜根迪如冰川。

格拉丹冬，藏语意为"高高尖尖的山峰"，海拔6620米。姜根迪如海拔6548米，有南北两条呈半弧形的大冰川，南支冰川长12.5公里，宽1.6公里，冰川尾部有5公里长的冰塔林；北支冰川长10.1公里，宽1.3公里，冰川尾部有两公里长的冰塔林。这高耸入云的冰雪山体和晶宝皎洁的大冰川，是万里长江取之不尽的源泉。

长江从这里出发，自西向东，流经青海、西藏、四川、云南、湖北、湖南、江西、安徽、江苏、上海等省区，注入东海，全长6380公里，为世界第三条大河。

格拉丹冬雪峰

通天河

黄河

唐代大诗人李白有诗曰："君不见黄河之水天上来，奔流到海不复回"。黄河发源于青海省南部的巴颜喀拉山北麓的约古宗列盆地西南隅的玛曲。

玛曲，藏语意为"孔雀河"，因盆地众泉眼形如孔雀开屏而得名，藏族人民把它视为吉祥之水。玛曲最初的河道只是一条宽约1米多、深不及1米的溪流，渐渐汇入南纳卡日曲，北纳扎曲等主要支流，变成一条宽约10多米，深1米多的河流。

这些汨汨泉水，潺潺溪流，劈千山，斩万壑，九曲十八弯，飞流直下，经青海、四川、甘肃、宁夏、内蒙古、山西、陕西、河南、山东九省区，经鲁北平原注入渤海，全流程长为5464公里。

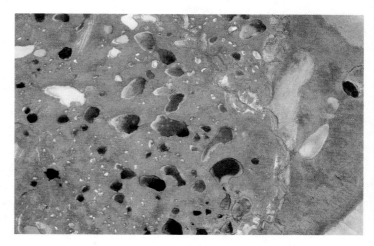

约古宗列盆地上众多的水泊，很像开屏的孔雀，因此，当地藏民把黄河源称为玛曲（藏语意为孔雀河）。

远远看去，玛曲仅是一条平静的小河流。

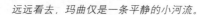

黄河源头水质清洌

黄河是青海境内流程最长、流域面积最大的一条河流。它水面落差大，水力资源丰富，在青海境内有六个梯级，水力蕴藏量可发电13.63万千瓦。

澜沧江

亚洲第六大河湄公河的上游，就是我国的澜沧江。

澜沧江的正源是扎曲，发源于青海省玉树藏族自治州杂多县的扎纳日根山，曲折南流，经青海、四川、云南，入印度洋，在青海境内长约180公里，水力蕴藏量可发电202万千瓦。

宁　夏

宁夏地处"高衾一色连空远"的西北黄土高原上，在这片土地上，有浊流滚滚的九曲黄河，峻峭的贺兰山、巍巍的六盘山、黄沙漫漫的沙漠和绿茵千里的草原。除此以外，银川海宝塔、须弥山石窟、同心清真寺、西夏王陵以及贺兰山岩画等文化名胜古迹，都是中华文明的重要组成部分。宁夏是回族聚居的地区，回族多姿多彩的习俗文化构成了一幅幅回族风情的画卷，为宁夏增添了神秘的色彩。

宁夏旅游指南

景点推荐

拜寺口双塔	贺兰县金山乡
小滚钟口	银川市西北 35 公里贺兰山麓
贺兰山岩画	银川市西郊贺兰山麓周围
西夏王陵	银川市西郊贺兰山东麓
一百零八塔	青铜峡大坝库区
沙湖风景区	银川市北 56 公里处
贺兰山	银川市西北约 35 公里处
玉皇阁	银川市老城区中心
鼓楼	银川市老城区中心
海宝塔	银川市北郊
南关清真寺	银川市老城区东南隅
承天寺塔	银川市老城区西南隅
横城渡口	银川市东 30 余里
沙坡头	中卫县城西 10 公里
须弥山石窟	固原县城北 55 公里须弥山东麓
洛河源风景名胜区	泾源县境内

文化娱乐

宁夏博物馆	银川市老城区西南隅承天寺院内
银川市人民公园	银川市西北角
红军长征纪念亭	六盘山上
水洞沟古人遗迹	灵武市
义渠戎墓葬群	固原县

旅游购物

土特产：南梁瓜、葡萄酒、贺兰宝石、红瓜子、张寡妇黄酒、珍珠米、沙枣、西吉彩鲫、鸽子鱼、沙毛裘皮

宁夏五宝：枸杞、甘草、贺兰石、滩羊裘皮、发菜

工艺品：贺兰石制的石砚、鼻烟壶、插屏

特色餐饮

银川：白水羊肉、烤羊肉、风味涮羊肉、黄袍羊尾、拔丝羊尾、羊齐玛、糖醋黄河大鲤鱼、金钱发财、羊羔肉

回族传统食品：清真全羊席、羊肉水饺粉汤、牛羊肉泡馍、手抓羊肉、烩羊杂碎、牛干巴、团馍馍、油茶、酿皮子、油香、炸馓子、盖碗茶

游程建议

宁夏漫游

海宝塔－博物馆－南关清真寺－横城古堡－沙湖－华夏西部影视城－贺兰山岩画－西夏王陵－青铜峡－一百零八塔－明长城－高庙－沙坡头－乘羊皮筏游黄河－沙漠骑骆驼－同心清真大寺－须弥山石窟－固原博物馆－永宁纳家户清真寺

穆斯林风情游

银川－南关清真寺－参观纳家户清真寺－回族家访－清真食品厂－沙湖－华夏西部影视城－西夏王陵－参观伊斯兰经学院－银川

黄河、沙漠探险之旅

银川－沙湖－西夏王陵－中卫（中途乘快艇游黄河、青铜峡一百零八塔）－骑骆驼进沙漠－（游沙漠明长城、沙漠淡水湖，观沙漠日落）－观沙海日出－乘羊皮筏漂流黄河

神秘西夏王国之旅

银川－宁夏博物馆－沙湖－西夏王陵－贺兰山岩画－拜寺口双塔－横城堡－明长城－水洞沟遗址

金色丝绸之旅

银川－南关清真寺－宁夏博物馆－海宝塔－中卫－西夏王陵－青铜峡一百零八塔－高庙－黄河－须弥山石窟－秦长城－固原博物馆－清水营－兰州－五泉山

特别提示

- 宁夏吃住均很便宜，银川街头到处有小吃、饭店。当地菜味道较辣，有点像四川饭菜。
- 讲究清洁、喜爱卫生，是信仰伊斯兰教民族的特有的习惯。回民经营的饭馆，一般都很讲究卫生，因善于烹饪牛羊肉而深受顾客欢迎。回族人在家里喜欢点卫生香，使人产生一种舒适、清新感。

节庆指南

开斋节	伊斯兰教历十月初一	回族人居住地区	做礼拜、走亲访友、赛马
古尔邦节	伊斯兰教历十二月十日	回族人居住地区	做礼拜、宰羊、访亲问友
圣纪节	伊斯兰教历三月十二日	回族人居住地区	听阿訇讲经、宰杀牛
登宵节	伊斯兰教历七月二十七日	回族人居住地区	做礼拜
阿术拉节	伊斯兰教历一月十日	回族人居住地区	吃阿术拉饭

贺兰山

贺兰山位于宁夏银川平原和内蒙古草原之间。从银川平原望去，山脉宛如奔驰的骏马，蒙古语的"贺兰"即骏马之意。

贺兰山山势雄伟、峻峭，峰峦苍翠，巍峨屹立于西北黄土高原上。明朝大学士金幼孜称"贺兰之山五百里，极目长空高插天。断峰迤逦烟云阔，古塞微茫紫翠连"。诗人潘元凯以"壁立万仞罗岩峦，形势蜿蜒如龙蟠"的诗句来形容它的峭峻。

贺兰石

在距贺兰山小滚钟口10余公里，笔架峰以西的小口子沟沟源附近，可见一条岩带，宛如紫色的彩云，直上青空，这就是贺兰石的故乡。

贺兰石为雕刻砚石的上好材料，早在清末就有"一端二歙三贺兰"的说法，足以证明贺兰石在当时就已具有相当的地位，并与天下第一的端砚齐名。

拜寺口双塔

拜寺口双塔位于贺兰山东麓的贺兰县金山乡，三面环山的拜寺口东西两侧。这是一对砖砌佛塔，两塔之间仅隔100余米，建造在山口的向阳坡上。

山口东侧的塔称为东塔，是一座正八角形建筑，塔基每边长2.5米，共13层，通高45米。第一层塔身较高，从第二层开始，檐与檐之间的塔身高度逐步缩小距离，越往上越逐层加密。塔刹的刹座是一座莲花瓣向上仰起莲花形，塔刹由几层相轮组成。

每层塔檐下，各面都有各种兽头的浮雕，兽头怒目相视，龇牙咧嘴，栩栩如生，塔的南门内，有一条券道，券道宽约50厘米，高2米，直通入塔室。塔室呈圆形，内设木板楼梯，可以登上塔顶层，在塔顶层可以远眺"塞上江南"的大地胜景。

小滚钟口

　　贺兰山的小滚钟口，俗称"小口子"，位于银川市西北35公里的贺兰山麓。口内三面环山，面东开口，中间有座孤立的小山峰，名叫钟铃山，这座小山峰处在三面环山的山谷中间，犹如一口大钟中间的铃锤，因此，这个山口称为滚钟口。

小滚钟口古戏楼

　　小滚钟口以景色秀丽，夏季凉爽而成为避暑胜地。早在西夏时期，西夏开国皇帝李元昊把小滚钟口辟为避暑皇宫，在口内主沟尽头的青羊溜山上，建造20多座宫殿，至今还可以看到参差错落的古建筑遗址。

贺兰山岩画

　　贺兰山北自石嘴山口向南的10多个山口中，在岩崖石壁或沟边的石头上，发现了数以千计的古代岩画。这些岩画题材广泛，大到宇宙日月星辰现象；小至牛羊足蹄，人手口脚趾图形；最多的是类似人头像和虎、豹、狗、鹿、羊、骆驼等动物图象，其中还有放牧、打猎形象的岩画，反映了宁夏地区古代各个时期游牧民族的实际生活场景，具有浓厚的生活气息。

　　贺兰山岩画多是用石头、骨、金属等工具在石头上或岩壁上磨、刻、凿成画。岩画造型有繁杂的，也有简单的，表现了宁夏地区古代各少数民族多姿多彩的生活，显示了丰富的想像力和非凡的智慧和艺术才能。

贺兰山岩画——太阳神

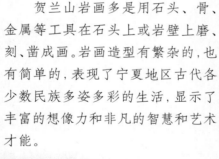

贺兰山岩画——西夏类人首

岩画之乡

贺兰山岩画最集中、件数最多的是拜寺口双塔附近的贺兰县金山乡，这个乡被誉为"宁夏岩画之乡"。金山乡岩画包括贺兰口岩画、苏峪口岩画、插旗口岩画、大西佛沟岩画、小西佛沟岩画等6处，组成一幅绚丽多彩的古代游牧民族的艺术画廊。令人惊叹。

回族民风

宁夏是回族聚居的主要地区，回族信仰伊斯兰教，凡回族聚居的村镇，都建有精美的清真寺，虔诚的穆斯林在这里进行宗教活动。这里的回族，仍保持着传统的宗教活动和生活习俗。

盖碗茶

在少数民族中，喝茶的习俗极为普遍和讲究，而回族的盖碗茶，则更是别具一格。

盖碗，是一种特别的茶具，它的盖略小于碗口，喝茶时将碗盖略向一侧推动，把碗中的茶叶挡在盖后面，即可品茶了。

民族食品——油香

回族人用盖碗喝茶比较普遍，但由于生活水平有别，碗中的茶叶配料也各有不同。盖碗茶的配料有茶叶、糖、葡萄干、桂圆、核桃仁、枸杞、芝麻等，这种茶不仅香甜适口，还有健身延寿的营养价值，是回族人甚为喜爱的独特饮品。

古尔邦节

古尔邦节又叫宰牲节，是穆斯林的重大节日之一。节日这天，从每一个穆斯林家庭到清真寺，都呈现出欢乐的节日气氛。城乡广大穆斯林，都精心制作自己喜爱而具有特色的食品，尤其是炸油香更为普遍。城乡的各个清真饭馆以及各种清真糕点、小吃的生意格外兴隆。亲朋好友，共度佳节，互相问候，有的地方还有互赠羊肉和节日食品的习惯。

南关清真寺

南关清真寺是宁夏最大的清真寺之一,位于银川老城,整个清真寺分为上下两层,上层为礼拜大殿,下层设淋浴室、小礼拜堂、阿訇宿舍、教室、学生宿舍。全寺有大小房间100多间。

寺的底层用回廊通向各个房间,沿着弧形的阶梯往上走,可到达大礼拜殿。殿前用小磨石材料建造的月台向南北两侧延伸,围绕着大殿,大殿与月台之间有一道用汉白玉贴面的双心圆券柱廊,它是室内外的空间过渡,是穆斯林礼拜出入大殿时穿鞋脱鞋的地方。穿过柱廊就进入宽敞的大殿。大殿是一个21米见方的正方形大厅,可容纳近1000人礼拜。大殿中部有绿色瓷砖饰面的四根方柱,支撑着上面的大穹顶。穹顶的底部和柱子中间一段圆柱体叫做鼓座,鼓座上开有24扇高窗,加上大殿南北两侧开出的6扇大窗,使殿内光线充足,视野开阔。大殿正面,两墙中间,按照传统习惯,是重点装饰所在的“米哈拉布”窑(即礼拜者面向的地方),采用晶莹汉白玉做成多圆心的复式形券壁龛的形式,上刻经文,精致简洁。整个大殿的独特之处是装修简洁,色调明快,给人以一种赏心悦目的感觉。

最引人注目的是大寺顶部的5个浑厚饱满的绿色穹顶,1大4小,正中大穹顶直径9米,顶端高悬“新月”月形灯,四角4个小穹顶直径3米。这一组穹顶结构象征着伊斯兰教创始人穆罕默德高处中间,伊斯兰教的“四大教派”(哈乃非、马立克、沙飞仪、罕伯里)分列在四角。

西夏之谜

　　宁夏的历史源远流长。唐末和五代时期，陕北夏州等地的党项族人迁到宁夏地区聚居，于1038年建国号为大夏。西夏王朝立国190年，留下众多令人难以猜测的谜，如今仅存少部分出土的文物，向人们透露出王朝昔日的壮观辉煌。

宁夏出土的西夏文字残片

西夏王陵

　　据史书记载，西夏王陵"仿巩固县宋陵而作"。这与早期西夏党项贵族的"障水别流，凿石为穴，既葬，引水其上"的原始葬俗完全不同，显然是受了汉族文化的影响而改变了其传统的葬俗。

　　西夏陵园的每一座王陵都是一座独立完整的建筑群体。它们坐北向南，呈长方形，庄严肃穆，高大雄伟，每座陵面积约10万平方米以上，其规模同明代北京十三陵相当，外围四周的四角，筑有角台，似为陵园四界的标志。神墙外部前方，是左右对称的鹊台、碑亭，碑亭中陈放着颂扬帝王"文德武功"的石碑，碑文用西夏文和汉文两种文字镌刻。两旁并置文臣武将和各种神兽的"石像生"；内城四角有角楼，四墙正中置门阙，内城中心前方是献殿，为祭典场所；其后偏西，是高大兀突的五层或七层塔式灵台。内墙以神墙环绕，形成一个四面开门的封闭庭院。西夏陵园既参照唐代帝陵的基本特点，又仿效了宋代帝陵的一些建筑布局格式，并且具有西夏独特的建筑风格。这种特有的布局形式和建筑特点，是西夏文化和汉族传统文化相结合的产物。

> **专家指点**
> 距离宁夏中卫县的沙坡头六七公里的河湾，耸立着6个木制巨型水车，专供游人欣赏娱乐之用。水车是黄河沿岸一种古老的提水灌溉工具，经河水冲击，日夜缓缓旋转，为黄河旅游增添了无限的风光。

古老的西夏王陵被称为"中国的金字塔"

西夏残碑

西夏陵在建筑形式和文化内涵上，也有许多谜。由于文献缺乏，陵区每座帝王陵的陵主是谁，至今难以确定。但多数人认为，西夏深受唐宋文化影响，埋葬制度与宋陵一样，实行昭穆葬法。西夏九陵，从南到北，以左昭右穆的方式排列，大体可确定每位陵主的归属，故编为三号的陵园应为西夏开国皇帝李元昊的泰陵。

西夏陵园中最为高大醒目的建筑，是一座高23米的夯土堆，壮如窝头。仔细观察，其为八角，上有层层残瓦堆砌，多为五层。于是学者认为，它在未毁坏前应是一座八角五层的实心密檐塔，"陵塔"之说便屡见报端。但塔式建筑功能、作用及建筑的原因却仍是个谜。

西夏石刻

令人大惑不解的还有西夏王陵出土的文物。西夏陵残碑是蒙古军队破坏西夏陵的见证。从收集到的三千多块西夏残碑看，一处出土的残碑多则几千块，少则几块，除了仁孝寿陵残碑缀合出一块能读通的16字西夏繁文碑额外，其余残碑没能拼集出一块完整的碑文来。由此可见，大量的残碑至今仍未发现，并可能会有碑冢存在。

陵区出土的八九座石像碑座，獠牙外露，怒目圆睁，有人说是碑座，也有人说是祭床，至今没有定论，依然蒙着一层神秘的面纱。

西夏鸱吻

一百零八塔依山势从上到下按1、3、3、5、5、7、9、11、13、15、17、19等奇数排成12行，是中国古塔建筑中唯一总体布局为三角形的大型塔群。

一百零八塔

青铜峡岸边的一百零八塔，是按几何图案形排列着的大型塔群，气势磅礴，风韵独具。

这一塔群可能是西夏时期所建，具有西夏文化的特点，是中华民族灿烂文化的组成部分。

新　疆

新疆的美体现出一种奇异的空灵，她更似一个悠远的梦境，而非一种触手可及的亲切。天池自不像是人间能有的胜景，而天山雪莲更非俗世中的花朵；湮灭的楼兰古城留给世人一段旧梦前尘，瑰丽的天鹅湖则令多少现代游人魂牵梦萦；吐鲁番的葡萄熟了，白杨沟的生命树绿了；香妃墓诉说着一代红颜的絮絮心事，火焰山描绘着《西游记》的美丽传奇。新疆的美也是风情万种的，维吾尔、哈萨克、柯尔克孜 ……不同民族风格各异的习俗和文化构成了一幅绚丽多彩的美丽画卷。

新疆旅游指南

景点推荐

天山、天池	乌鲁木齐市东北约115公里
水磨沟风景区	乌鲁木齐市东北约100公里
白杨沟	乌鲁木齐南郊约75公里
乌拉泊古城	乌鲁木齐南郊10公里处
天鹅湖	乌鲁木齐西南部的巴音布鲁克草原上
五彩湾	乌鲁木齐东北约330公里
奇台石树林	乌鲁木齐东北约350公里的奇台县境内
苏公塔	吐鲁番市东南
高昌故城	吐鲁番市东约40多公里的火焰山旁
交河故城	吐鲁番市西约10多公里
火焰山	吐鲁番盆地中部
柏孜克里克千佛洞	吐鲁番市东45公里的克孜尔山麓
阿斯塔那古墓	吐鲁番市东南约40公里
葡萄沟	吐鲁番市东北约15公里
艾丁湖	吐鲁番市南60公里
哈密王墓	哈密市南郊2公里处
哈纳斯湖	北疆阿勒泰地区
克孜尔千佛洞	拜城县东约50公里
艾提尕尔清真寺	喀什市中心
香妃墓	喀什市东5公里
果子沟	伊宁市西北100公里
赛里木湖	伊宁市北150公里的博乐市境内

文化与艺术

新疆自治区博物馆	乌鲁木齐市西北路
新疆自治区展览馆	乌鲁木齐市友好路北端
地质矿产陈列馆	乌鲁木齐市友好路

休闲娱乐

叼羊	哈萨克、柯尔克孜、维吾尔等族聚居区
射箭	乌孙山下、伊犁河谷的察布查尔锡伯自治县
荡秋千	克孜勒苏柯尔克孜自治州
猎鹰	塔克拉玛干大沙漠西边的巴楚县
沙疗	吐鲁番火焰山
蒸汽浴	俄罗斯族聚居区

旅游购物

新疆特产：挂毯、花帽、热瓦甫、羊绒衫、英吉沙小刀、库车小刀、和田玉石、吐鲁番的哈密瓜和葡萄干、哈萨克族绣包

特色餐饮

昆仑宾馆餐厅	特色：烤全羊、葡萄鱼、抓饭、曲曲	乌鲁木齐市友好北路
友谊宾馆餐厅	特色：烤羊肉串、烤包子、风味羊排	乌鲁木齐市南郊棋盘山下
新疆饭店餐厅	特色：川菜、新疆地方风味菜	乌鲁木齐市长江路南口

特色菜：烤羊肉串、烤全羊、手抓饭、烤馕、拉条子、炒面、手抓羊肉、烤包子、大盘鸡

游程建议

天山自然风光游

乌鲁木齐市（乌拉泊古城和古墓群、水磨沟温泉、博物馆）－吐鲁番（高昌故城、火焰山、葡萄沟）－库尔勒（塔克拉玛干沙漠、胡杨林、塔里木河、博斯腾湖、千佛洞、铁门关）－巴音布鲁克草原（途中参观黄庙、天鹅湖风光）－巩乃斯林区（阿尔先温泉）－伊宁（霍尔果斯口岸、赛里木湖）－乌鲁木齐市（天池）

巴音布鲁克草原天鹅湖马背游

乌鲁木齐市－吐鲁番－库尔勒（骑马沿巴音布鲁克大草原抵天鹅湖，约需5天）－库车（克孜尔千佛洞）－喀什（艾提尕尔清真寺、香妃墓、巴扎）－乌鲁木齐市

阿尔金山野生动物观赏游

乌鲁木齐市－库尔勒－若羌－茫崖－阿尔金山（沿水草泉一线活动，可观赏到野牦牛、藏野驴、藏羚羊等野生动物，以及众多的高山湖泊、冰川、河流等风光）－且末－民丰－和田－喀什－乌鲁木齐市

注：①该线路到且末县后可从若羌县按原路返回；②进阿尔金山自然保护区需交纳保护费；③7～8月为最佳旅游季节。

狩猎之旅

乌鲁木齐市－且末（进入昆仑山狩猎区狩猎）－乌鲁木齐市

注：①狩猎物是岩羊、黄羊、青羊、野驴等；②在车尔臣河狩猎，狩猎物为马鹿、野猪、黄羊。

特别提示

- 新疆地区时差比北京晚2～2.5小时左右，但全疆均使用北京时间作息，夏日早6：30～7：00天亮，晚10点天黑。政府、企业夏季作息时间为上午10：00点上班，中午13：30吃饭、休息，下午16：00上班，19：30下班。
- 新疆为典型大陆型气候，冬冷夏热，昼夜温差大。
- 新疆旅行季节为4～10月，最佳季节为7、8、9月。
- 吐鲁番：8月中、下旬葡萄成熟。
- 塔克拉玛干沙漠：9～10月适合旅行。
- 哈纳斯湖：8～9月适合旅行。
- 罗布泊、楼兰地区：10月适合旅行。
- 登山旅行：7～8月为全疆各地开展登山活动最佳时节。

节庆指南

新疆葡萄节	8月20日～26日	吐鲁番市	丝路商驼队表演，葡萄瓜果一条街
开斋节	伊斯兰教历九月	新疆各地	清真寺作礼拜、吃炸馓子
古尔邦节	开斋节后七十天	新疆各地	宰牲、去清真寺沐浴

西域明珠乌鲁木齐

西部城市中最具有独特风韵的乌鲁木齐市，是新疆众多民族的交融之地，也是西域珍奇的荟萃之所。它位于天山北麓，准噶尔盆地南端，是世界上离海洋最远的城市。乌鲁木齐市东有海拔5400多米的博格达峰，山上终年积雪，影响着乌鲁木齐地区的阴晴雨雪，俗称"灵山"。城南是雄伟壮丽的天山山脉，群峰叠嶂，气象万千。城西是充满神秘色彩的妖魔山，山上有云即积，积云即雨。乌鲁木齐河自南向北从市区欢腾奔流而过。乌鲁木齐市周围有天池、白杨沟、天鹅湖等旅游胜地。

> **专家指点**
>
> 无论是游天池，还是登南山，都须自备充足的衣物。山中气候多变，若遇阴雨，盛夏时气温也可能骤降至10℃左右。5～10月，每日清晨在乌鲁木齐市人民公园门口有旅游班车开往天池、南山，当日返回。通过旅行社租车或乘"的士"前往，也都十分方便。

乌鲁木齐市的城市雕塑

天池

乌鲁木齐市东面的天池，在我国古代神话中，被称为西王母宴请周穆王的昆仑仙境——"瑶池"。其实，它是位于博格达峰山腰中的天然湖泊。

天池海拔1980米，面积5平方公里，湖面呈半月形，湖水清澈，晶莹如玉，四周群山环抱，绿草如茵，野花似锦。挺拔苍翠的云杉、塔松漫山遍岭，遮天蔽日。雄伟的博格达主峰突兀插云，峰顶的冰川积雪闪烁着皑皑银光，与天池瓦蓝碧绿的湖水相映成趣，构成了这个高山平湖绰约多姿的自然景观。

环绕天池的群山，是一座座资源丰富的"百宝山"。这里有牧场、林场、鹿苑，雪线（多年积雪区的下界）上生长着雪莲，松林里出没着狍子，遍地长着党参、黄芪、贝母等药材。山壑中有珍禽异兽，湖区中有鱼群水鸟，众峰之巅有冰川，群山之下埋藏着铜、铁、云母等丰富的矿藏资源……

天山雪莲

雪莲花，又叫荷莲，生长在雪线（一般在海拔3000～4000米）以上的岩石中，它生命力极强，既能忍受变幻无常的天气，又能抵御山上强烈的太阳辐射。

雪莲花是菊科多年生草本植物。在雪地绽放的雪莲，有紫红色的花蕊和白中带黄的花瓣。用晒干的雪莲浸酒服用，既能健身提神，又可以治疗腰酸背痛、风湿和关节炎。

天鹅湖

乌鲁木齐西南部的巴音布鲁克草原上，有大小不等的众多高山湖泊，总面积达1000平方公里。

这里水草丰美，气候适宜。每年夏秋之季，数以万计的天鹅聚集在这里，数量之多居全国第一，故有"天鹅湖"之称。每到春暖花开时，大天鹅和疣鼻天鹅就来到这里，在湖沼的青纱帐中结为伴侣，生儿育女。深秋季节天鹅们会成群结队地飞向南方。

天鹅品性高洁，以食草为主，从不侵害庄稼，一旦雌雄结为伴侣，便朝暮相伴，忠贞不渝。因此，当地牧民都把天鹅视为天使和幸福吉祥的象征。

新疆地毯

新疆地毯，是采用新疆优质羊毛为原料，选用传统的"石榴花"、"天女散花"等东方式图案，以手工编织成360道、540道或720道经纬的纯羊毛地毯。新疆地毯工艺考究，织工精良，图案别致，富有维吾尔民族特色，不但可以铺地，而且可作艺术珍品悬挂墙上，使满屋增彩生辉。新疆地毯已远销海外，享誉五大洲。

风景如画的白杨沟

从乌鲁木齐市区出发，驱车50余公里，即可到达风景优美的白杨沟。但见蓝天下，雪峰点点，群山峻峭；山坡上，绿草如茵，牛马成群。浓荫掩映下的一幢幢白色的毡房、精致的小别墅，使这深山峡谷平添生气。游人来此，可作客于哈萨克牧民的毡房，喝醇香的奶茶、马奶，品尝烤羊肉、手抓羊肉、奶酪；喜欢马术的年轻人，也可租当地哈萨克牧民的骏马，扬鞭驰骋于宽阔的草原上。

叼羊比赛是哈萨克青年男子最喜爱的运动之一。如果运气好，在白杨沟就可以欣赏到。

"姑娘追"是哈萨克族民间马背上的游戏，也是青年男女彼此表达爱慕之情的特殊方式。参加"姑娘追"的青年男女在路上骑马并进，小伙子可以向姑娘说各种俏皮话。到达规定的起跑线时，小伙子立即返身先跑，这时姑娘为了报复刚才小伙子的调笑，马上举鞭回身追赶。如果姑娘追上小伙子，用鞭轻打小伙子，表示喜欢对方；如果狠打，则表示不喜欢对方。

巴音布鲁克草原

五彩湾

　　五彩湾位于乌鲁木齐市东北约330公里处，又名五彩山。进入五彩湾，环顾四周，到处可见美丽而奇幻的色彩。层次分明的彩色山峦使人目不暇接。一座座五彩的山丘下遍布着晶莹的玛瑙石，人们称之为玛瑙滩，还有许多史前生物的遗体化石，随处可觅。

手抓饭

手抓饭，是新疆维吾尔、乌孜别克等民族食用稻米的主要形式，是用来宴请宾客的上等饭食。食用时用手把做好的饭撮掇起来送到嘴里。做手抓饭的基本原料是新鲜羊肉、胡萝卜、洋葱、清油、羊油和大米。

新疆天山脚下的硅化木群，
被称为"凝固的生命之树"。

凝固的生命之树

　　在乌鲁木齐市东北约350公里，南距奇台县约150公里处，有一片风蚀洼地，地表上散布着数百根大树化石——硅化木，这就是被誉为新疆一大自然奇观的"奇台石树林"。

　　硅化木树林的发现，说明远在一亿年以前，这里曾经是气候温暖、植被茂密的地方。后由于地壳变迁，森林被埋入地下，在密封和高温条件下，经含硅的地下水长期的硅化作用，最终成了化石。又经过多少万年的风雨剥蚀，它们再度露出了地表，成为绝观奇景而显现于人间。

失去的世界

地处新疆若羌县的楼兰古城和罗布泊,曾牵动过多少考古学者和探险者的心。古老的楼兰最终消失在历史长河后,竟被人遗忘了近两千年。今天,让我们沿着昔日的丝绸之路,向干涸的罗布泊,向被湮没的楼兰古城走去,去探寻那个曾经失去的世界。

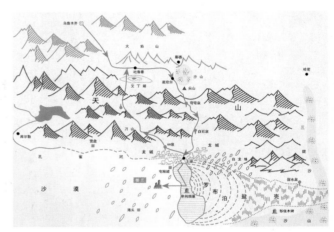

佛塔遗址

楼兰古城

楼兰古城位于南疆若羌县城北220公里,罗布泊以西。

楼兰古城曾是汉代通往西域的必经之地,在东西文化交流中起过重要作用,后被沙漠湮没,有"沙漠中的庞贝"之称。当年的楼兰,驼铃终日不断,城内商贾如云,来到楼兰的人有汉人、匈奴人、乌孙人、大宛人等。作为中国通往波斯、印度、叙利亚和罗马帝国的中转贸易站,古城起着中枢城市的作用。

后来由于塔里木河下游河床淤塞,改道南流,这里的绿洲才逐渐沦为荒漠。公元四世纪前后,楼兰国灭亡,人口外迁,楼兰成为一片废墟。多少年来,楼兰被历史遗忘了。直到1900年,楼兰古城才被当地维吾尔族青年发现,后经瑞典探险家报导,被风沙湮没了1600多年的楼兰古城才得以奇迹般地重现。

楼兰路线图

楼兰民居遗址

新疆风味:拉条子

拉条子(拉面)是将一大块面团,三揉两抻,拉成一大把细而韧的面条,放入沸水中煮熟,捞至盘中拌入炒菜,再调以醋、辣椒面、蒜等,吃起来滑润而筋道。若捞起后切短再同肉、菜回锅炒上片刻,则又是一种风味。拉条子是新疆居民的日常饭食,三顿不吃,便馋得发慌。

罗布泊

罗布泊位于塔里木盆地东面，南距若羌县城约200公里，北距吐鲁番约250公里，西邻楼兰古城。

"罗布泊"为蒙古语，意为"汇入多水之湖"，原为新疆最大的湖泊，面积达3000多平方公里。长期以来，罗布泊位置几经移动，地理学家称之为"游移湖"，后因注入湖泊的河流改道和水量减少，湖面逐年缩小，现已干涸。

早在新石器时期，罗布泊地区已有人类活动，后来又成为古丝路南道的要冲，古城、古墓、烽火台等遗址随处可见。

近代以来，原本生活在罗布泊湖畔，过着远离尘世、桃花源般生活的罗布人，因生存环境的恶化，不得不一次又一次迁离家园，最终退出罗布荒原。

罗布老人用平静的心态讲述着历史的变迁。

楼兰出土的古贵霜王国钱币

楼兰出土的拜占庭金币

罗布妇女利用简陋的设备织造织物。

楼兰出土的古丝绸织品

年轻的罗布人虽然向先辈们学会了烤鱼的技能，但这样的大鱼已经很少见了。

"火洲"吐鲁番

吐鲁番位于天山东段南麓,北倚白雪皑皑的博格达峰。它是我国最低的盆地,也是夏季气温最高的地区,有"火洲"之称。

由于当地独特的自然环境,2000多年前的古城、千佛洞、古墓群等文物得以完整地保存下来。在此地游览,你不仅可以看到文物古迹,还可以尝到葡萄沟里甜美的葡萄。

在葡萄沟较高的坡地上建有一种非常特殊的房屋,它的四壁都是用土坯垒砌,墙上密密匝匝布满气孔,这就是晾葡萄干的房子,当地维吾尔人称作"群结",汉语叫做"荫房"。

葡萄沟

葡萄沟距吐鲁番市东北约15公里,位于火焰山西边的一个峡谷中。这个峡谷长约10公里,宽为半公里,是一个依山傍水的秀丽的山乡。这里居住着维、汉、回三个民族。维吾尔族人能歌善舞,常在葡萄架下举行各种文娱活动。

火焰山

在吐鲁番盆地中部,有一条绵延近百公里的丘陵,犹如大海中浮起的巨鲸,这就是著名的火焰山,当地人称之为克孜尔山。晴日远观,骄阳当空,恍如"烈焰"腾腾。《西游记》中描写的孙悟空过火焰山、斗铁扇公主的神话故事,就是以这里为背景的。

坎儿井

在吐鲁番的戈壁滩上，有一种特殊的井——坎儿井。"坎儿"是维语"井穴"的意思，为一种特殊的灌溉系统。这是当地的人们根据当地气候特点以及盆地水文条件开挖出来的一种地下水道·工程，已有2000多年的悠久历史。

新疆大约有坎儿井1600多条，分布在吐鲁番盆地、哈密盆地等地，其中以吐鲁番盆地最多最集中，达1200多条，总长超过5000公里。参观过坎儿井的人，无不为它设计构思的巧妙，工程的艰巨而赞叹。

吐鲁番地区年降雨量仅为16毫米，而蒸发量达3000毫米，根本不可能利用地面水来灌溉农田。坎儿井是由地下暗渠输水，不受季节、风沙影响，蒸发量小，流量稳定，可以常年自流灌溉。坎儿井的清泉浇灌滋润吐鲁番的大地，使火洲戈壁变成绿洲良田。

鄯善位于吐鲁番东部，是沙漠中的绿洲。

高昌故城

位于吐鲁番县城东约40公里的高昌故城，有1500余年历史，曾是西北地区政治、经济、文化中心之一，也是丝绸之路上的重镇。

现在的高昌故城总面积约2平方公里，分为外城、内城和宫城三个部分。外城西南角有一座较大的寺庙遗址，保存得相当完整。在它的附近，曾发现过绿琉璃瓦残片和绘有图案的房屋基石，可见当年的宫室和庙宇的建筑已经达到了相当高的水平。

苏公塔高约40米，圆而细长，基部直径14米，顶呈盔形。整座塔是用黄色方砖砌成。

苏公塔

苏公塔坐落在吐鲁番县城东南，建于1778年，是吐鲁番郡王苏来满为纪念父亲额敏和卓而兴建的，所以又称额敏塔。

塔旁的礼拜寺规模笼大，可容纳1000多人，建筑和布局与苏公塔配置得当。塔的入口开在寺内的东南角，进入寺内方可登塔。

交河故城

交河故城在吐鲁番县城西面两条古河床交汇处的土洲上，又称雅尔湖古城。公元6世纪时，高昌在这里建立交河郡城。现在的遗迹，主要是唐代及其后的建筑。

交河故城北靠30米高的悬崖，没有城墙，天险自成。城内各区分布着寺庙、民居、佛塔。故城房屋都是用泥土建造，不用砖石，也极少用木料。元末明初时，由于政治中心转移，这座城也就荒废了，但因气候干燥少雨，所以成为全国保存得最好的古城之一。

柏孜克里克千佛洞

柏孜克里克千佛洞位于吐鲁番市东45公里的克孜尔山（俗称火焰山）麓，胜金口附近木头沟里的土崖上。这里的洞窟大半已塌毁。现存的仅57窟，分布在约500米的崖面上。建筑形式有佛洞和僧房两类。僧房形状多为斗室，佛洞以直洞居多。一般都是凿崖成洞。洞窟里壁画，解放前已被外国一些考古者盗去。今存者虽已残破，但还是不可多得的。

柏孜克里克千佛洞开凿于南北朝末期至元朝。目前对外开放的有8窟。这里的壁画大多已残毁，从壁画的风格上看，大多数是唐代的作品。

千佛洞壁画奇观

柏孜克里克千佛洞有57个洞窟，其中保留有壁画的40多个，壁画总面积约1200多平方米，是吐鲁番地区现存洞窟最多，壁画最丰富，建筑形式多样的一处石窟群。洞窟内的壁画富丽堂皇，有回鹘壁画、"西方净土"故事画等。这些丰富多彩的壁画艺术反映出古代回鹘绘画的传统技艺，是我国古代绘画艺术的珍品。

边城伊犁

伊犁是一个风土人情独特、富饶而美丽的地方。这里汇聚着维吾尔、柯尔克孜、乌孜别克、塔塔尔、蒙古、锡伯、回等少数民族，造就了千姿百态的民族风情。

伊犁自然环境十分迷人，有峰峦重叠、古木参天的高山峻岭，有沟渠纵横、土壤肥沃的盆地绿洲，有水草丰茂、广袤壮丽的草原平川，有瑰丽如画、独具风姿的河流湖泊。这里物产丰富，不仅是重要的粮棉产地，也是"新疆羊"、"伊犁马"的故乡，伊犁首府伊宁则是一座名副其实的"苹果城"。

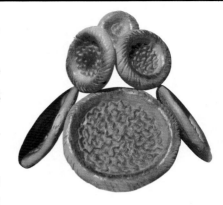

馕是维吾尔族人民最有特色的主食。馕是用发酵的面粉加以牛奶、鸡蛋、黄油和盐水，揉制成大小厚薄不一的圆饼，表面加芝麻、葱花，模印上各式图案，然后用炭火烘烤而成。

专家指点

● 新疆各族牧民，皆尚豪饮。他们戏称当地白酒为"赛里木湖水"。蒙古族牧民往往是高擎酒碗，单腿跪地，高唱《祝酒歌》给你敬酒。没有一两斤酒量的，可千万不能轻易表现积极。

● 到蒙古包或哈萨克毡房作客，吃过手抓羊肉之后，主人会捧起一块块羊尾巴油，依次送到客人嘴边——这可不是恶作剧，而是正正规规的礼节。牧民们认为，白白嫩嫩的羊尾巴油是最好的佳肴，理应奉献给尊贵的客人，所以不可拒绝，更不可表示出嫌恶的神情。实在不习惯这种美味，那就多少尝一点儿，主人也就不会勉强了。

赛里木湖

伊宁北部的赛里木湖比天池面积大100倍左右，达457平方公里，是天山最大的高山湖。

赛里木湖湖水湛蓝，雪山倒映，牛羊散布在辽阔的草原上，牧歌回荡在无垠的森林中，身着艳丽民族服装的蒙古族、哈萨克姑娘们，纵马从你身边掠过……这就是赛里木湖的风情画。

每年公历7月13～15日，赛里木湖畔都要举办蒙古族的"那达慕"大会，哈萨克牧民也来参加助兴，维吾尔商人也必来凑热闹。牧民们赛马、叼羊、姑娘追、摔跤、射箭、阿肯弹唱会、歌舞……种种娱乐活动热闹非凡，赛里木湖也就更加显得风光无限。

伊犁马

在伊犁河谷游览，路况大都尚好，但要想进深山或草原，那就不得不骑马了。伊犁地区历来产名马，汉武帝大加赞赏的"天马"、"汗血马"就产于伊犁河谷，至今在中国名马中，伊犁马仍名列前茅。

伊犁马，原产新疆伊犁地区，近数十年来由奥尔洛夫马、顿河马等与哈萨克马杂交而成，眼大眸明，头颈高昂，四肢强健，是高原地区人们代步的交通工具。

手扒肉

手扒肉就是不加盐和其他调味品，用清水煮熟，手抓着吃的羊肉。这种肉不能煮得过久，初熟即可食用。由于草场不同和羊的品质、肉质不一，手扒肉的味道不尽相同。那些放牧在平原草场，常吃野韭菜、野葱的羊，肉质尤为鲜美，蒙古族、哈萨克族等以牧业为主的民族都有吃手扒肉的习俗。

新疆细毛羊具有毛肉兼用、毛质好、产量高等特点，特别是毛的细度、强度色泽等达到了很高的标准。著名的新疆地毯就是以此为原料的。

烤全羊是维吾尔、哈萨克、柯尔克孜、塔吉克、蒙古等民族款待贵宾的名贵佳肴。

丝路明珠喀什行

喀什是新疆南部最大的城市,地处帕米尔高原脚下。喀什气候温和,春夏之际,周围山上积雪消融,山涧河谷流水潺潺。喀什噶尔河汇百流而下,浩浩荡荡穿城而过,流向盆地,造就了天山以南最大的一片绿洲。

新疆人有一句话:"不到南疆便不算真正认识新疆,不到喀什便不知南疆的奇异。"曾被誉为"古丝路上的明灯"的喀什,至今仍保持着他们特有的民族风情。

集市上制作铜器的匠人。

羊肉串是将羊肉片穿在铁钎上,边在炉上烤边加孜然、辣椒面、精盐等调料并不断翻动,三五分钟即熟,风味独特,香气四溢,为新疆著名风味。

艾提尕尔清真寺

喀什市中心的艾提尕尔广场是全市的中心区,也是繁荣的商业区,中国最大的清真寺——艾提尕尔清真寺就坐落在这里,这座清真寺已有500多年的历史。

整个艾提尕尔清真寺是由礼拜堂、门楼和其他一些附属建筑物组成的,总面积为16800平方米。

艾提尕尔清真寺内平时每天做礼拜者二三千人,"居玛日"(星期五)有六七千人,节日可达二三万人,是每年两大伊斯兰节日(肉孜节、古尔邦节)中喀什穆斯林们的庆祝活动场所。

清真寺浅蓝色的大门上,刻有阿拉伯文的《古兰经》,周围衬托着具有维吾尔艺术风格的精美图案和花纹。

艾提尕尔清真寺的来历

传说18世纪后期,一个名叫古丽热拉的有钱妇女,在去巴基斯坦途经喀什时病故于此地,根据她的遗愿,人们将她遗留下来的大笔钱财用来兴建了一座清真寺,这便是艾提尕尔清真寺的前身,后经多次修缮和扩充才达到今天的规模。

在这个穹隆形的圆顶上，有一座玲珑剔透的塔楼。塔楼之巅，又有一镀金新月，金光闪闪，庄严肃穆。在陵墓高大宽敞的厅堂里，筑有半人高的平台，上面排列着大小72座坟丘。这是香妃家族五代人的墓地。

阿帕克霍加墓的风姿

阿帕克霍加墓又名"香妃墓"，坐落于喀什市东郊5公里处浩罕村背后的林荫深处，是一座典型的伊斯兰式的古老的陵墓建筑。

陵墓里埋葬的第一代是中亚著名的传教士玛哈吐木艾扎木的儿子阿吉卖海提玉素甫和加，第二代是玉素甫和加的长子阿巴克和加，其余都是他们的后裔，共70多人。其中阿巴克和加的孙女——香妃是清朝乾隆皇帝的爱妃，她死后葬于清东陵，这里是香妃的衣冠冢。由于维吾尔族人怀念香妃，渐渐地就把这座墓叫做香妃墓。

巴扎

巴扎是维吾尔族的传统贸易集市。喀什城区东区的大巴扎，是新疆地区最大的巴扎集市。在市场上，从一般农副产品到价值很高的工艺品，应有尽有。尤其是"英吉沙"小刀，是这里著名的工艺品。这里还有香味扑鼻的烤羊肉串、烤包子、馕等民族小吃。

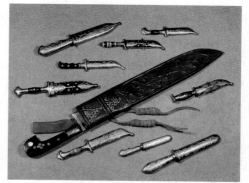

驰名中外的英吉沙小刀，是维吾尔族男子佩戴的饰物之一。

专家指点

- 维吾尔族人热情诙谐，朋友见面，扶左胸行鞠躬礼；见到长辈，双手交叉胸前行鞠躬礼；现在也开始流行汉族的握手礼。
- 维吾尔族人吃饭前要做祷告，客人可跟随一起做，亦可庄重地坐着，但不能站起来或走动、说话。
- 在维吾尔人家里作客时，与主人谈天不能吐痰、打哈欠；接食物、碗盘需双手，碗中不能剩饭，也不能在盘中挑挑拣拣。

古尔邦节

"古尔邦"是阿拉伯语的音译，意为"献牲"。从11世纪初开始成为信奉伊斯兰教的维吾尔等民族一年一度的重大节日。节日这一天，人们除了去清真寺沐浴、听教义外，家家户户都收拾得干干净净，宰羊、牛或骆驼，一部分献给清真寺，其余用来赠送亲友、款待客人。人们走访亲友，互相祝贺，唱歌跳舞，或举行各种竞赛，尽情欢乐。

乌孜别克族欢度古尔邦节。

北疆秋色

习惯上，人们把天山以北称为北疆。在这一片广袤的大地上，既有黄沙漫漫的克拉玛依，又有美丽而神秘的哈纳斯湖，还有阴森恐怖的魔鬼城。

"沙漠之舟"骆驼

哈纳斯湖

哈纳斯湖位于新疆最北部的阿尔泰地区，东南距阿勒泰市区约100多公里。

海拔1370米的哈纳斯湖隐匿在重峦叠嶂，万顷林海之间，属典型冰碛湖。哈纳斯，蒙古语意为"美丽富饶、神秘莫测"。湖边为水草丰美的牧场，湖中常有天鹅、野鸭等嬉戏。

很久以前，人们就发现湖中常有响声和突起的水柱，以为有"湖怪"，近年来有人认为是大红鱼，但至今尚无正确结论。

胡杨

　　胡杨是新疆沙漠、盐碱和干旱地区的主要树木,它主要生长在塔里木河两岸和塔克拉玛干沙漠前沿的广大地区,在天山以北的准噶尔盆地也有大面积的胡杨林。因为胡杨耐旱、耐寒、耐盐碱,生命力极其顽强,所以一直是荒原地带居民生活中的一宝。

阿勒泰

　　阿勒泰市是新疆最北的城市,是白桦的故乡。阿勒泰地区西北部与哈萨克斯坦接壤,东北与蒙古接壤,地势北高南低。位于阿勒泰地区东北的阿尔泰山是一座跨国山体。"阿尔泰"在突厥语、蒙古语中意思是"金子",这里自古以来就以盛产黄金著称于世,名谚云:"阿尔泰山七十二条沟,沟沟有黄金。"

胡杨树可以自身蓄水

据说胡杨树有"三个一千年"之说,它能在荒漠上生活一千年不死;死后立在荒漠上一千年不倒;倒后在荒漠上一千年不烂。

阿勒泰市的白桦林

瓜果之乡

新疆，不仅是歌舞之乡、宝石之乡、地毯之乡，还是著名的瓜果之乡。

葡萄

新疆葡萄，以其圆如珠、翠似玉、甜赛蜜而闻名中外。新疆的葡萄品种多达200多个，其中"无核白"不仅皮薄肉脆、汁多而香，还能晾干制成碧绿的葡萄干。盛夏的季节走进绿洲，家家户户的葡萄架不但会带给你阴凉，好客的主人还会采来晶莹的鲜葡萄给你消暑解渴；即使是隆冬，在塔里木盆地一带的集市上，仍然可以尝到保存得较好的葡萄。

收获葡萄的
维吾尔老人

新疆特产：葡萄干

"哈密瓜"瓜名的来历
传说哈密王把鄯善产的甜瓜进贡给清乾隆皇帝，乾隆皇帝尝后赞叹不已，便问："这是什么瓜？何地产？"当时的宫廷大臣也不知瓜的产地，为了应付场面，便回禀："此瓜是哈密王的贡品，叫哈密瓜。"从此，便以讹传讹，"哈密瓜"就成为此瓜的大名了。

哈密瓜

哈密瓜，古称甘瓜，早在一千多年前新疆就已种植。由于新疆少雨，昼夜温差大，使瓜凝聚的糖分多，甜美可口。哈密瓜分网纹、光皮两种，瓜体一般都为椭圆型，瓜肉呈肉色或青绿色，有的清脆爽口，绵甜如蜜，有的甘甜不腻，略带酒香。

杏

杏树是维吾尔人普遍栽培的果树之一。绿洲中，几乎村村有杏林，家家有杏树，其中库车县可称为新疆的杏乡。初夏，小黄杏最初上市，接踵而来的是小白杏、辣椒杏等二十多个品种。库车杏的特点是肉厚味浓，酸甜适口，不仅杏肉可食，连杏核也是甜的。

酸甜可口的小黄杏

榅桲原产中亚细亚，我国西北各地均有栽培，以新疆最多。榅桲味甘酸，可生食，制蜜饯，又可药用，治肠虚水泻等。

香梨

新疆人有句俗话："吐鲁番的葡萄，鄯善的瓜，库尔勒的香梨没有渣。"库尔勒的香梨具有皮薄肉厚、细甜多汁、入口即化的特点，远近闻名。

新疆民族风情

世居新疆的13个少数民族在独特的地域环境中，形成了各具特色的民俗文化。

维吾尔族的服饰

维吾尔族在中华历史文化的漫长进程中，创造了具有浓厚民族特色的服饰文化。他们一般穿着宽袖对襟、无领无扣的长袍，俗称"祫祥"。

维吾尔族服饰种类繁多，除平时的常服和节日盛装外，还有猎服、丧服等。他们的服饰用料考究，一般由纯羊毛、真丝、纯棉布料以及真皮制成。维吾尔族在歌舞、节日盛会时必须带绣花小帽。它不仅是装饰品，还是亲友互赠的礼品。

身穿艾得丽丝绸服装的维吾尔族姑娘。

哈萨克族刺绣

哈萨克妇女善于刺绣，她们衣服的衣领、袖口、前襟、下摆和帽子等处多饰以花草纹、羊角纹等图案。图案的着色富有象征性，他们认为，蓝色表示蓝天，红色象征太阳和太阳的光辉，黑色象征大地。据考证，哈萨克族的刺绣历史悠久，是古代乌孙文化的继承和发展。

维吾尔族男子的盛装："祫祥"

哈萨克姑娘的花帽前沿镶嵌有珠宝、玛瑙之类的装饰，顶端插有猫头鹰的羽毛。猫头鹰被哈萨克人看作吉祥之物，同时也象征勇敢和坚定。

哈萨克族刺绣

牛奶是哈萨克族人必不可少的饮料。

柯尔克孜族的挂毯

柯尔克孜族的先民们最初游牧于叶尼塞河上游，明代时部分部落迁至天山、葱岭一带，后与当地民族融合，逐渐形成了柯尔克孜族。柯尔克孜族的挂毯历史悠久，十分精美。

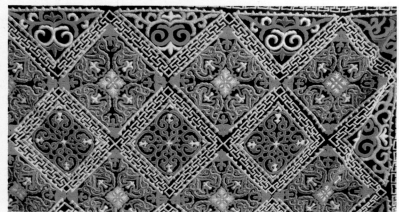

哈萨克族牧民喜欢吃羊肉馅的炸饺子。

生活在新疆天山、帕米尔高原牧场的哈萨克族、柯尔克孜族、塔吉克族牧民，为适应游牧生活的条件，居住在形似"蒙古包"的毡房中。夏季时，毡房则改用苇席作围墙。

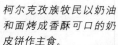

柯尔克孜族牧民以奶油和面烤成香酥可口的奶皮饼作主食。

辽　宁

　　辽宁的风景是独特的, 既有沈阳地区的平原广袤、雪地冰天, 也有大连港的海天一色、气候宜人。沈阳故宫建筑宏伟, 昭示着清王朝对故土的眷恋; 关外三陵气势恢宏, 埋葬着满族先辈曾经的传奇; 千山风景区山明水秀, 千座山峰, 峰峰奇特, 处处美景; 美丽的大连海滨风光迷人, 星海公园、老虎滩游乐园都是休闲度假的好去处。另外, 大连的海鲜色鲜味美、爽口怡人, 颇值一尝。

辽宁旅游指南

景点推荐

沈阳故宫	沈阳市沈河区沈阳路
福陵	沈阳市东部
昭陵	沈阳市北部
辉山风景区	沈阳市东北部
永陵	新宾县永陵镇北
大连棒棰岛景区	大连海滨路东口
金石滩	大连市东北约80公里的黄海之滨
白云山庄	大连市区南隅
老铁山景区	旅顺口西北部的海中
望台炮台	旅顺口区正北
千山风景区	鞍山市区东南25公里处
汤岗子温泉	鞍山市南郊8.5公里
本溪水洞	本溪市东35公里处
凤凰山景区	丹东市西北50公里
鹤乡"红海滩"	盘锦市郊

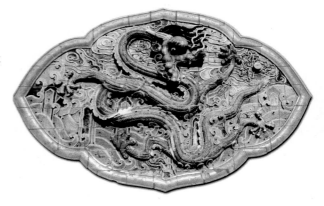

文化与艺术

蒸汽机车陈列馆	沈阳市苏家屯区机务段北侧
九·一八事变纪念馆	沈阳市东北隅
大连自然博物馆	大连市胜利桥北
旅顺博物馆	大连市旅顺口区新市街
旅顺海军兵器馆	大连市旅顺口区白云山顶
蛇类自然博物馆	大连市旅顺口区

休闲娱乐

夏宫	沈阳市南浑河岸北
浑河乐园	沈阳市南浑河岸南
沈阳植物园	沈阳市东部
怪坡	沈阳市新城子区清水台镇
老虎滩乐园	大连市区东南部
圣亚海洋世界	大连市沙河口区中山路

旅游购物

沈阳：玉雕工艺品、贝雕画
大连：对虾、海参、鲍鱼、扇贝等海产
丹东：对虾、岫岩玉、柞蚕丝绸、石柱参、山楂、板栗

特色餐饮

沈阳

老边饺子馆	特色：专营老边饺子	沈阳市北市一街 57 号
马家烧麦馆	特色：专营清真烧麦	沈阳市正阳街 24 号
杨家吊炉饼烤鸭店	特色：吊炉饼、烤鸭、鸡蛋糕	沈阳市振兴街 2 号
那家馆	特色：白肉血肠	沈阳市沈阳路 90 号
李连贵熏肉大饼	特色：熏肉大饼	沈阳市正阳街二段 4 号

大连

大连餐馆颇具特色，大部分餐馆经营以海味为主的海味名菜。
大连的名菜有：清蒸加吉鱼、红烤全虾、五彩雪花扇贝、八仙（鲜）过海、海螺大虾

特别提示

- 兴城是辽宁海滨胜地，海滨之旅宜带泳衣、遮阳伞、太阳镜和防晒护肤品。
- 购买海产品最好买无包装的散货。尽量不要买煮熟的海货，以免吃到不新鲜、变质的东西，可以买些活海鲜，再请当地人就地加工。
- 兴城是辽西最大的海产品供应基地，其中对虾、梭子蟹、皮皮虾、海蜇皮为当地四大特产。每当 7 月中旬海会到来之际，鲜活、廉价、丰富的海货会让游人大快朵颐。中秋节时正是鱼肥蟹美之季，不过螃蟹属寒，女士不宜过食，食用时应辅以姜末，肠胃不好及过敏体质者应注意节制。

游程建议

长白山 - 鸭绿江山水风光游

　　大连（老虎滩公园、棒槌岛、金石滩、星岛公园）- 延吉（长白山天池、白云峰、长白瀑布、长白山温泉）- 集安 - 丹东（鸭绿江、凤凰山风景区、大鹿岛、五龙背温泉）- 本溪（本溪水洞）- 沈阳（怪坡风景区）

清朝文化史迹游

　　沈阳（沈阳故宫、福陵、昭陵）- 新宾（赫图阿拉老城、永陵）- 义县（北镇医巫闾山、北镇庙）

节庆指南

沈阳灯会	农历正月十五左右	沈阳市中山公园内	展示各种花灯、彩灯、造型灯
国际民间舞蹈节	9 月下旬	沈阳市	秧歌舞比赛、环城花车游行
大连国际服装节	8 月中下旬 9 月上旬	大连市	服装展饰会
大连国际马拉松邀请赛	10 月	大连市	马拉松比赛
大连赏槐会	5 月	大连市	观赏花卉

沈阳故宫

　　沈阳故宫为清初皇宫，名盛京宫阙，入关后称奉天行宫。清顺治元年，世祖在此即位。它始建于后金天命十年，清崇德元年基本建成，乾隆、嘉庆时又有增建。全部建筑分三大部分。中路属大内宫殿，院落三进在一个中轴线上，前院以崇政殿为中心，殿后是中院，再北为内宫，前有凤凰楼，后为清宁宫，东路以大政殿为中心，西路以文溯阁为中心。整个皇宫殿宇巍然，雕梁画栋，富丽堂皇，是我国现存仅次于北京故宫的最完整的皇宫建筑。

西路便门屋顶

起装饰作用的悬鱼。这里的悬鱼不是真正的鱼形而是一只蝙蝠，口含花朵和垂带，形象生动有趣。

大政殿是沈阳故宫最早建成的大殿。当年，汗王宣布军队出征、迎接将士凯旋、颁布大赦等重要典礼都在这里举行。

大政殿

　　沈阳故宫的建筑融汇了满、蒙、藏等少数民族的风格，其中以大政殿和十王亭最为典型。大政殿的须弥式台基、殿顶瓦上的相轮、火焰珠以及殿内天花板上的梵文等均属于蒙古族和喇嘛教的建筑艺术。大殿耸出的八角，乃是满族八旗制度的象征，而殿顶的五彩琉璃，即黄瓦铺顶、绿瓦镶边，则表达着北方少数民族对森林、草原绿色的钟爱。

凤凰楼

凤凰楼是官内的主要制高点，它是典型的台上建楼，有三层建筑。底层作为通往台上五官的通道和楼门，二、三层都建在台上，可综观盛京全景。

努尔哈赤的御玺

努尔哈赤的宝剑

专家指点

沈阳旅游景观丰富多彩，除沈阳故宫、关外三陵外，还可游览著名的辉山风景区。同时，沈阳还是一个充满活力与生机的大都市，游人可以去夏宫、沈阳植物园遊遊。

文溯阁

文溯阁建于清乾隆四十七年，当作收藏《四库全书》之用，也是皇帝东巡盛京时读书看戏的地方。建筑形式仿自浙江宁波天一阁，面阔6间，为二层楼阁硬山式建筑。

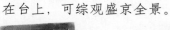

文溯阁内景

崇政殿是清代第一个皇帝皇太极的金銮宝殿，是当时关外至高无上的建筑。图为崇政殿内皇帝宝座。

关外三陵

　　清朝在关外有三座帝王陵寝，即永陵、福陵、昭陵。这三处陵址与清入关后的清东陵、清西陵不同，它们具有中国东北地区古代建筑艺术的传统和独特的地方风格，并以封建城堡式的布局、断壁残垣的古迹风貌、神秘而静穆的独特气氛而引人注目。

昭陵

　　昭陵坐落在沈阳市区北部，因此又称北陵，是清太宗皇太极和孝端文皇后博尔济吉特氏的陵墓。昭陵是清代关外诸陵中规模最大而且保存最完整的一座陵园，建制与福陵同式。

琉璃墙影壁上的琉璃彩龙

青石牌坊位于昭陵门外正中，建于嘉庆六年，雕工精细，玲珑剔透，具有很高的艺术价值。

永陵

　　永陵原名兴京陵，位于辽宁新宾县永陵镇西北，启运山南麓，前临苏子河，建于明万历二十六年。陵区占地约1200平方米，陵墓依山傍水而建，有"郁葱王气烟霭"之势。陵内葬有清太祖努尔哈赤的远祖盖特穆、曾祖福满、祖父觉昌安、父塔克世等清皇室祖先。

福陵

福陵位于沈阳市区之东，又名东陵，是清太祖努尔哈赤和皇后叶赫那拉氏的陵寝。它前临浑河，后倚天柱山，万松耸翠，大殿凌云，构成了风格独特的帝王山陵。福陵于后金天聪三年初建，康熙、乾隆两朝增修，面积19.48万平方米。陵寝四周绕以矩形墙，南面正中为正红门。门东西墙上有雕着蟠龙的琉璃壁，门前两侧对立着下马碑、华表、石狮和石碑坊，庄严而又雄伟。门内神道两侧，苍松之间，又排列着成对的狮、马、蛇、虎等石雕。往北地势渐高，利用天然山势修筑了"一百零八蹬"石阶。登石阶，过石桥，正中为碑楼，内立康熙亲撰"大清福陵神功圣德碑"。碑楼左右有祭祀用的茶果房、器房省牲亭、斋房等建筑。再北为城堡式的方城，

福陵隆恩殿是福陵的正殿，这里为祭祀清太祖及其皇后之所，里面供奉着努尔哈赤的神位。

是陵园的主体建筑。方城南面正中为隆恩门，上有三重檐的高大门楼，北面正中有明楼，中立"太祖高皇帝之陵"石碑。城内正中建有隆恩殿，为祭祀之所，内供奉神位木主。正殿后立有石柱门和石

五供，殿前设焚帛亭。方城后为月牙形的宝城，也叫月牙城，上为宝顶，下面是埋葬死者的地宫。

福陵隆恩殿外彩画及匾额

海滨大连

　　隆冬和酷暑，是中国大部分地区都有的自然现象。可是在中国北方的辽东半岛南端，却有一座气候宜人、景色秀丽的海滨城市——大连。大连地处辽东半岛的南端，西濒渤海，东临黄海，面向烟波浩淼的太平洋。这里冬天阳光温暖，夏日凉风习习，花木繁茂，气象万千。来到这里，犹如进入一个幽雅奇妙的大花园。

大连圣亚海洋世界

　　圣亚海洋世界位于沙河口区中山路，是中国第一座现代化水族馆，拥有亚洲最长的 118 米海底通道，放养着数百种、数万余只的海洋生物，它不仅是展示水族生物的场所，而且在人类生存与海洋发展的关系、海洋文化等方面，为人们开辟了思考、联想的空间。

大连人民广场全景。中间巨大的足球雕塑向人们展示足球城的独特风情。

星海公园

星海公园位于大连市西南，是著名的风景区。该园由陆地公园和海水浴场组成。陆地公园林木葱茏，花卉争艳，楼台亭阁，掩映其间。海水浴场沙滩平坦，更衣、淋浴设备齐全。大连市历届海上运动会大都在此举行，这里可容纳二三万人，岸边有看台。公园西南有一小山，山上有个几十米深的钻海洞，洞里有石阶，直通海边。

专家指点

自1988年以来，每年金秋时节大连都要举办国际时装节，时装爱好者一定要选好旅游时间，千万不要错过了那里的霓裳风云。

星海公园内最吸引人的是那长达800米的海水浴场。弓形的海滩平坦松软，水流缓慢，波平似镜，阳光充足，海风清凉。夏季，游客身着各色泳装，色彩绚丽，在这里尽情地享受着大海赐予的快乐。

图为白云山炮台。1880年到1890年间李鸿章经营旅顺口军港，沿旅顺东西两岸筑有9座新式炮台，大炮多由德国克虏伯厂制造。甲午战争爆发后，旅顺口的军事设施被日军破坏殆尽，白云山的炮台就是那时的劫余之物。白云山上还有埋葬甲午烈士的"万忠墓"。

旅顺

旅顺地处大连西南约45公里处，是中国著名的天然良港，从大连驱车约1小时可到达。旅顺港内水深且终年不冻，隔海与山东半岛的烟台遥遥相对，是北京、天津的海上门户。在历史上，旅顺自古就是兵家必争之地，它的东面是黄金山，西面是老虎尾半岛，在中间形成了港湾的狭窄入口，地势十分险要。

登上白云山，旅顺港尽收眼底。

千山

千山在鞍山市东南25公里处，是长白山的支脉，南北绵延200多公里。千山又名积翠山、千朵莲花山。顾名思义，是形容峰峦之多，植被之丰茂。它是由花岗岩构成的丘陵，主峰仙人台海拔708米。登峰俯瞰，千山叠翠如涌浪，令人陶醉。千山外秀内奇，茂林古松之下，奇特的花岗岩造型地貌，处处成景，早在唐代就有宗教踪迹，历经金、元、明、清的建设，成为东北地区佛、道教的中心。寺观庙宇规模虽不很大，但巧妙地布置在各种景观环境中，为山景增色不少。

千山的石、松、洞，非常有名，山上的嶙峋怪石是一道奇观，不仅有海螺、象首、卧牛、鹦鹉，也有木鱼、净瓶、跌罗汉，更有夹扁石、天上天、仙人台、无根石、瓶峰翠等著名石景。千山的松，也是名山灵物，多奇多姿。在松石荫蔽下，藏有许多洞穴，多为天然形成，经人工稍加雕凿，形态各异，神秘诡异，有些洞里还曾有僧人、道士居中"修炼"，与他们有关的故事、传说，又给古洞蒙上一层幽秘的色彩。

千山弥勒大佛

金刚壁立

五佛顶下的西海景区兴建了亚洲最大的"鸟语世界"，它集各地的走禽、水禽、鸣禽、猛禽、飞禽等七大类100多个品种。

千山佛道

千山闻名已久,它很早就是辽东佛教寺庙的集中地。据说远在隋唐之际,山上已有寺庙建筑。到明代,已有祖越、龙泉、香岩、中会、大安"五大禅林"。清代,道教进入千山,使山中庙宇骤增,有七寺、十二观、九宫、十庵,成为辽东的佛道名山。

千山的禅林之首要数龙泉寺。龙泉寺位于千山北沟中部,是千山五大禅林中最大者。寺隐于丛林幽壑中,主要建筑有大雄宝殿、天王殿、韦陀殿、毗卢殿、龙王庙、藏经阁及禅房等。寺中有山泉,常流不涸。有人说因为泉水蜿蜒于寺中,若"龙涎如水",故名龙泉。龙泉寺确切的创建时间已无从查考,相传始建于唐代。据现有碑记可知,后堂和东庵分别是明嘉靖三十七年和万历二十一年所建,山门为万历九年重建,现存建筑多为清代重修。

千山龙泉寺

五佛顶是千山第三高峰,海拔554米,因山顶立有五尊石佛而得名。石佛造型生动自然,面朝南望,群峰拱卫。

幽冥古钟

龙泉寺藏经阁附近有钟楼,上悬古钟。楼南有巨石如卧狮,名狮石。敲击古钟时,钟声震石,发出狮吼般的回声,林壑震慑,故名狮吼钟声。相传这口古钟是幽冥钟,是专供念幽冥经用的。念一会儿经,撞一下钟,经文便会随钟声传进阴曹地府,让阎王知晓,便能增寿。此经须连续念九十九天乃成,成后幽冥钟不敲自响。

鹦鹉石栩栩如生

辽西之旅

山色奇秀、古迹甚多的辽西地区，人文景致与自然景观不胜枚举，让人留连不已。

北镇双塔

在北镇县城东北角耸立着崇兴寺双塔，塔身洁白如玉，两塔样式相同，被称为"姊妹塔"。有人说它们是辽代所修，有人又说双塔的塔角缀有风铃，经常会坠落下来，拾到的人见上面有唐代的年号，就认为是唐代建筑，当地也普遍流传着唐将尉迟恭修塔的传说。为了避雷，两座塔顶都安有10多丈长的大铁桅，并在塔底拴上铁链。

辽宁人把用巨石支立铺盖而成的建筑，形象地称为"石棚"。

医巫闾山

人们都知道中华有五岳，却很少有人知道五岳之外还有五镇。《周礼·夏官·职方氏》记载："东镇沂山、西镇吴山、中镇霍山、南镇会稽山、北镇医巫闾山。"

医巫闾山位于辽宁北镇城西，南北绵亘45公里，方圆约120公里，主峰望海山高866.6米。医巫闾山景色秀丽，涓流飞瀑，奇松异石，清圣祖、清高宗均为之赋诗，清高宗乾隆更是两游闾山。乾隆十九年，他东巡登山游览，作御制五言三十韵，并钦点闾山八景，各赋一绝。闾山八景分别是"圣水盆，上接飞瀑之水；道隐谷，又称古佛龛；蝌蚪碑(今已无存)；桃花洞，必须攀藤附葛而上才别有天地，如入武陵源；云巢松，翠如朵云；翠云屏，俗呼窟窿山；吕公岩，乾隆有"宁知进士第，转逊岳阳杯"之句，咏吕洞宾三过岳阳人不识的旧事；旷观亭，形成六角，遗址尚在，可纵览全山的处处佳景。今犹有乾隆诗刻石。

兴城古城

兴城原名宁远卫城，建于明宣德五年（1430年），现今只存内城。古城原有4座城门，现仅存其二。城中内有鼓楼一座，保存完好。明将袁崇焕曾在兴城屡挫清兵。据传，明天启六年（1626年），清太祖努尔哈赤，率兵13万围攻宁远时，身负重伤后病故。翌年，皇太极复攻宁远，又被袁崇焕击败。现存古城，为全国保存最完好的一座。

兴城鼓楼

祖氏石坊位于兴城县城南大街北，它是崇祯十一年明朝廷为激励祖氏兄弟忠心守土而建。具有讽刺意味的是，崇祯十一年，兄弟二人双双叛明降清。

万佛石窟

万佛堂石窟位于辽西义县西北大凌河北岸的峭壁上，分东西两区。西区9窟，东区7窟均建于北魏时期。石窟内有释迦坐像、千体佛像、维摩诘和文殊问答像及百戏造像等。万佛堂石窟与大同云冈石窟属于一个系统，是辽宁省境内凿建最早、最大的石窟群。

凤凰山

凤凰山位于大凌河的东岸，此山中峰低伏，峰上宝塔耸立，左右两峰夹峙，形如凤凰展翅，故得此名，传说中它和北镇的崇兴寺双塔还有渊源。据说很久以前，凤凰山上有九座塔。有一天其中的三座塔化作三位仙女，想要出去游玩，她们朝西北飞去，飞到北镇一带，看见山清水秀舍不得离开，就还原成三塔停在北镇了。不久宝塔又飞走了一座，当地的人们赶紧把另外二塔用铁链拴了起来，才使双塔一直留存到今天。

满乡风情

满族是一个历史悠久、勤劳、勇敢的民族，主要聚居在辽宁北山、凤城、岫岩等地。满族是由明末的女真发展而来，从16世纪满族崛起之后，辽宁遂成为满族政治、经济、文化生活的大舞台。

沧桑满族

满族的源流，可以追溯到两千多年前的肃慎以及后来的女真。肃慎人是我国东北地区最早见于记载的民族之一。努尔哈赤统一女真各部落后，1635年定族名为满洲。

辽宁是满族的世居之地，中国最后一个王朝——清朝就是在这片土地上崛起的。清太祖努尔哈赤曾以辽宁新宾为开国根据地。至今，在新宾满族自治县永陵镇东仍保存着赫图阿拉老城。随着时代的发展，满族与其他各民族，相互影响，相互吸收，相互融合。比如旗袍，本是满族传统服饰，而今已被其他各民族所接受。满族居住的口袋房，又称"斗室"，是满族先人沿袭穴居的结构而设计。窗户多用纸糊，房梁上常悬有悠车，俗称吊车。初生婴儿放在悠车里，听着母亲哼着摇篮曲安睡。

关东三大怪之一：养活孩子吊起来

满族服饰

满族服饰高雅华丽，在我国服饰文化中独树一帜。满族服饰的基本式样为袍式，努尔哈赤建立后金政权，推行八旗制度以后，满族人均在旗，故女子所穿的袍服便称为"旗袍"。男子服装以长袍马褂为主，同时还有独具特色的坎肩。

赫图阿拉老城是努尔哈赤建立后金政权的第一个都城。

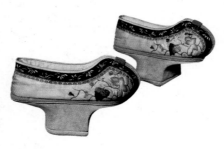

满族妇女的鞋为木质底，底高达15~20厘米。其底上宽而下圆，形似花盆，俗称"花盆鞋"。因踏地时印痕如马蹄，也称"马蹄底"。

满族妇女对头饰很讲究，不仅要戴钿子（一种青绒、青缎做成饰有珠翠的头冠），而且还要插上各种各样的银饰。现在东北地区的满族妇女仍保持着这种古老的习俗。

岫岩玉

岫岩满族自治县盛产玉石。这里的玉石，块大质坚，色泽清明，晶莹美观，因产于岫岩而名岫岩玉。很多著名的玉石雕刻精品，用料就是岫岩玉。岫岩玉料的质地、形体、颜色不同，加工雕刻时，需独具匠心，精心设计，巧用消色，才能生产出巧夺天工的珍品。

满族饮食

满族的饮食，有御膳风味的宫廷肴馔，也有乡间风味的大众吃喝。乡间大众，喜欢小米、黄米干饭、黄米面饽饽（粘豆包）和炖菜、咸菜。每逢节日吃饺子，除夕晚上，必吃手扒肉。白煮猪肉、白肉血肠更是满族喜爱的佳肴，特别是严冬季节，配以酸菜丝在一起余制，汤鲜菜脆，大有驱寒生暖之效。

满族年节

早期，满族信奉天、地、山、川、祖先等，为了祈祷神灵的保护，有各种形式的祭祀活动。满族祭祀形式主要有祭天、祭祖。祭祖，有的地方不宰猪，只供黄米面饽饽。现在满族的年节与汉族大致相同，高跷、秧歌都是节日中的保留项目。

粘豆包

新年到，福来到。

吉　林

肥沃富饶的东北平原孕育了吉林美丽的风光。境内最著名的景点自然是长白山风景区。长白山资源丰富、景色瑰丽，素有"高山花园"之誉。这里有清澈泛彩的天池，也有动魄惊心的长白瀑布；有秋冬之际的皑皑雪景，也有春夏之际的满山奇彩。吉林市的玉皇阁、长春市的伪满皇宫则记录了吉林曾经的过往。各式滑雪场让你享受冰雪之趣，长春电影城让你体验银幕之奇。另外，延边的朝鲜族风情也不应错过，尝尝朝鲜小菜，感受民俗之乐，定会让你不虚此行。

吉林旅游指南

景点推荐

净月潭	长春市区东南
龙潭山	吉林市城东松花江畔
松花湖	吉林市东南 24 公里
长白山、天池	延边朝鲜族自治州中部
国内城遗址	集安市鸭绿江畔
洞沟古墓群	集安市洞沟河畔
丸都山城	集安市西北
国东大穴	集安城西北 2 公里
长春伪皇宫	集安国内城东 17 公里处

文化与艺术

吉林省博物馆	长春市东北角光复北路 3 号
吉林陨石雨陈列馆	吉林市江南公园南
龙井朝鲜民俗博物馆	延吉市南约 40 公里
集安博物馆	集安城北迎宾路 88 号

休闲娱乐

长春电影城	长春市区西南
净月潭滑雪基地	长春市区东南净月潭旅游度假区内
长白山高原冰雪训练基地	长白山北坡
松花湖滑雪场	吉林市永吉县五里河镇
北大湖滑雪场	吉林市区南 59 公里

旅游购物

长春：木雕、德惠草编、老茂生糖果、回宝珍饺子、鼎丰真糕点、真不同酱菜、石画、冻水果

吉林：白山木画、榛鸡、雉鸡、山楂、草莓、蕨菜、剪纸、石雕

长白山：人参、鹿茸、松花石砚、长白山石雕、灵芝、黑木耳、松口蘑、榆黄蘑、延边苹果梨

特别提示

- 长白山原为活火山，至今山坡上还堆积着数以万计的火山石，一遇刮风下雨，便有石块滑落，给游人带来极大危险。游客登山时须按规定戴好完全帽（进山时保险公司会发给每人一个），这样才能确保安全。
- 滑雪建议
  初学者应先向教练学习掌握基本的滑雪技巧；
  详细阅读滑雪场的指南，了解区内情况和有关规定；
  初学者不可擅入山林和中、高级滑雪者的雪道，以免发生危险；
  万一发生意外，可呼救并就近寻找急救中心。

特色餐饮

朝鲜族饭店	特色：朝鲜风味	吉林市重庆街68号
关东宾馆餐厅	特色：吉林地方风味	吉林市江湾路2号
吉林饭店	特色：吉林地方风味、回族名菜	吉林市重庆街123号
太盛园饭店	特色：吉林地方风味、宫廷风味	吉林市河南路73号
长春饭店	特色：燕翅鸭全席、长白山珍宴	长春市重庆路
天马饭庄	特色：飞龙宴、长白山珍宴	长春市长白山宾馆西侧

朝鲜族风味菜：狗肉汤、拌狗肉、冷面、辣拌牛肉
回族名菜：锅塌肠口、葵花牛肉、煎扒羊肉、水爆百叶
吉林风味菜：清蒸松花江白鱼、生拌鲜鱼、白肉血肠、什锦火锅

节庆指南

| 雾凇冰雪节 | 1月 | 吉林市 | 观赏雾凇 |
| 北山庙会 | 农历四月初八 | 吉林 | 文娱表演、风味小吃 |

游程建议

长白山之旅

吉林－安图－二道白河（参观长白山自然博物馆）－长白山（多种森林景观带、长白山温泉、长白山瀑布、冰川"U"形谷、天池、天文峰）－二道白河－珲春

注：登临长白山有三条路线：

A线（即从北坡登山），可从吉林乘火车在安图或延吉下车，转乘长途客运汽车或出租车经二道白河镇上山。亦可从吉林市乘汽车直接前往登山。

在登山口上天池有两条路径，一是乘专用导游车（越野吉普）10多分钟便可到达山顶，途中可观赏到岳桦林带、苔原带、观景台等诸多景观；二是徒步攀登，40分钟可到达，途中可观赏到冰雪运动基地、幽谷森林、小天池、温泉群、天池瀑布、天池、补天石等景观。

B线（即从西坡登山），在吉林或长春乘旅游专列在松江河下车，转乘汽车，也可从吉林直接乘汽车经松江河到长白山，在1200米处开始登山，时间大约1个小时左右，途中可观赏梯子河、锦江瀑布、长白山大峡谷、高山花园、老虎背等景观。

C线（即从南坡登山），此线较险峻，目前没有形成规模，有待于进一步开发。

长白山

    长白山位于吉林省东南部的中朝边界上,因主峰白头山多白色浮石和积雪而得名。当地人称其为"老白山"或"白山",满语称之为"果勒敏、珊延、阿林",意思是长长的白色山。

    长白山群峰竞秀,长白十六峰千姿百态,环列在一个大圆圈上,或白或黄、或青或绿,护卫着天池。经过漫长岁月的风雨雕蚀,山峰嶙峋奇峭,姿态各异,有的如宝塔刺天,有的似少女对镜梳妆,有的如雄鹰衔物……最高峰为白云峰,海拔2691米,矗立在天池西侧,犹如一把宝剑直插星汉,高耸挺拔。

长白山秋色

天池

    从长白十六峰的峰顶探身俯视,但见群峰环抱中,嵌着一泓椭圆形的湖水,这就是天池。天池湖水平静晶莹,仿佛一块凝固的硕大的蓝宝石,湖水中斑斓的峰影,仿佛印在水底,天上的白云,在水面上轻盈而缓慢的飘动。天池又叫"龙潭",《长白山征存录》上就有这样的记载:"云雾演溟蒙,水鸣如鼓,故名龙潭。"

美丽的天池仿佛镶嵌在皑皑长白山之上的碧蓝宝石。

松花江

松花江发源于长白山天池，浩浩荡荡的江水一泻千里，流过茫茫的黑土地，养育了在这里生活的东北各族人民。松花江造就了东北古代灿烂的文明，辽、金、清诸王朝都发迹于此，耶律阿保机的善战，完颜阿骨打的骁勇，努尔哈赤的英勇与剽悍，都让后人想到这片白山黑水的苍茫。

冬季的松花江，气候严寒，有时会降至－30℃，结冰期长达5个月。有时夹带暖流的江水，会不断冒起团团蒸汽，凝结在岸边的柳丝、松枝上，形成一簇簇、一串串晶莹似玉的冰花，十里长堤顿时成了玲珑剔透、玉树银枝的世界，这就是闻名全国的"树挂"奇景。

从长白山坡发源的河流众多，有露水河、头道白河、二道白河、三道白河、四道白河和二道江等。但其中只有二道白河直接发源于天池，因而被视为松花江的正源。

冬季当瀑布变成冰瀑时，二道白河依然奔流，这是因为温泉汇入河流之故。

长白瀑布

长白瀑布高达68米，比黄果树瀑布还高2米，由三道瀑流组成，形似"川"字。远望如白练悬空，近视则浪花翻滚，似雨雪交加。接近瀑布，沁人心脾的冷气扑面而来；经阳光的折射，氤氲的水雾变成条条彩虹，为瀑布增添几分朦胧与神秘。

动植物乐园

长白山囊括了亚洲温带至北极的所有植物群落，许多珍贵的动物在这里繁衍生息，走进长白山，你会发现长白山是多姿多彩的：平展展的草地上，开满了白花、紫花和黄花；空气中飘着淡淡的青草的芳香；远处，翠绿的塔松昂着头和蓝天白云一起欣赏这鲜花铺就的大地毯。

五味子分布于阔叶林与红松阔叶林中，浆果成熟时呈紫红色，可供酿酒、入药及提炼芳香油。

专家指点

长白山四季各有特色，冬季不封山，入冬以后，长白山区降雪量极丰富，降雪时间特别长，因而形成了晶莹如玉的冰雪世界。所以冬游长白山别有情趣。但长白山的最低气温达到 −40℃。冬季游览长白山要注意防风、保暖，除了厚衣、皮帽、围巾、手套、太阳镜、冻疮膏外，长绳也是必备的。上山时还要穿保暖性能好、摩擦力大的雪地鞋，当地有卖。若登山看天池须5人以上结伴而行，备足食品，请当地人作向导，千万不要在山顶过夜，而上温泉区和瀑布区游览时，不要远离大路，万一经过不明确路线，一定要先探测雪地虚实。

圆池

圆池坐落在阔叶松林中，湖区沼泽水草丰茂，有茅膏菜和小叶杜鹃灌丛。

传说曾有仙女下凡入圆池洗浴，因吞食神鹊衔来的朱果而生下一男，名布库里雍顺，即为满族的祖先，因此圆池被清朝尊为满族发祥地。

东北三宝

　　长白山是东亚大陆上唯一有高山冻原带的天然综合宝库，这里有三种独特的物产：人参、鹿茸、貂皮，人称"东北三宝"。

　　人参素来被称作"百草之王"、"中药之首"，《本草纲目》中写道：人参能补五脏、定魂魄、止惊悸、除邪气、明目、开心益智，久服可延年益寿。人参主要是指这种植物的地下部分，因为它为白色，而且酷似人的躯体，故得此名。野生人参主要生长在针叶、阔叶混交林中。

"百草之王"人参

　　貂皮就是紫貂的皮毛，它是一种高级细毛皮，十分珍贵，俗称"软黄金"。紫貂属于哺乳纲鼬科，样子很像黄鼠狼，主要生长在长白山的针叶密林里。

　　鹿茸，是鹿脱角后长出的还没有骨化的新角。它具有生精补髓、益血助阳、强筋壮骨的效用。

长白山的茂密山林中，有很多野生鹿类，主要有梅花鹿和马鹿。

长白山上生长的紫貂

东北虎

　　东北虎是现代虎类中个体最大，外貌最雄壮威武的一种，为国家一级保护动物，野生的东北虎已多年不见踪迹，但近年在长白山及完达山林区又有发现。

　　在20世纪初，长白山的东北虎有百头之多，但由于大面积砍伐森林，东北虎的生活环境逐渐被破坏；又因为大量捕杀食草动物，剥夺了东北虎的食物；加之为取虎骨、虎皮，更是直接造成东北虎数量的减少。现仅在中、韩、俄边境的珲春县残存少量东北虎。

冰雪吉林

吉林市位于中国东北吉林省中部偏东、松花江中游，是中国北方的一座历史文化名城。吉林的冬天是冰雪的世界，银装素裹，晶莹剔透。其中又以雾凇蔚为景观。

雾凇是冬天里雾凝聚在树木的枝叶上而形成的白色水晶，连结成串，十分美丽。

延边风情

长白山下，海兰河畔，是我国朝鲜族的主要聚居区——延边朝鲜族自治州。这里风光旖旎，物产丰饶，朝鲜族人民独特的民俗风情更是吸引着八方游客。

朝鲜族服饰

朝鲜族人喜穿素白衣服，妇女着短衣长裙，叫"则高利"、"契玛"。短衣斜襟无扣，结以绶带；长裙宽腰细褶长及脚跟。姑娘、少妇服装颜色艳丽明快，显得典雅飘逸。

朝鲜族妇女的七彩衣

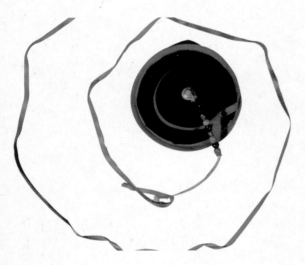

朝鲜族传统"象帽"，多用丝绸制成。跳舞时戴上它不停地摇头，彩带会呈现出层层圆圈。

打糕是用糯米或粳米煮熟后，放在专用的木槽中，用木棰打成糕团，然后切成片状，放上红豆沙，沾上蜂蜜和白糖，或用糕模压成各种形状的糕点。

朝鲜族妇女正在晾晒丰收的红辣椒。

朝鲜美食

朝鲜族的饮食可分家常便饭和特制饮食。家常饭以米饭、汤和泡菜为主。汤，是日常饭食中必备的，其种类可达30多种，最常见的为酱汤。特制食品有打糕、冷面、发糕、松饼等。

朝鲜族在节日或喜庆时，喜欢做打糕招待客人。

多彩的民俗竞技

秋千和跳板,是朝鲜族的传统体育运动。秋千和跳板都是由妇女参加的项目。秋千一般架有数米高,前方高挂一铃,以荡的高度和双脚碰铃的次数多少决定胜负。

跳板一般用长约6米,宽半米的木板,中间垫起半米高,两端各站一人,互相跳跃。跳起高度高达三、四米,同时还可以在空中表演各种动作,如劈腿、套花环、舞扇子、耍彩绸等,动作急缓有致,轻盈优美,如紫燕钻云,扣人心弦。

年轻的朝鲜族妇女身着民族服装荡秋千时,凌空飘荡,似彩凤飞舞,十分壮观。

归婚典礼

朝鲜族老两口结婚60周年时要举行归婚典礼。归婚典礼上,子孙们摆上一桌桌丰富的筵席,乡亲们献上一杯杯长寿的喜酒,老夫妻穿上新婚礼服,坐上披红挂绿的花车,在全村巡游一周,全村群众像过节一样热烈庆祝他们晚年幸福、长命百岁。

朝鲜族的传统风味菜肴有"悦口子汤"(用火锅煮食)、狗肉汤、烤牛肉和生拌牛肉等。

黑 龙 江

黑龙江有最美的北国风光。"千里冰封，万里雪飘"、"山舞银蛇，原驰蜡象"的美景只有在这儿才能领略得最真切。每年的哈尔滨冰灯节自然不容错过，晶莹剔透的冰雕在各色彩灯的妆扮下瑰丽多姿，引人入胜。风光宜人的太阳岛林木葱郁，清风习习，是游人聚集之地；兴安岭的林海雪原峰险林深，山高路远，是探险者追寻之所。另外，五大连池波波相映，池池相连；镜泊湖山色湖光，情调无限，都是值得一游的好去处。

黑龙江旅游指南

景点推荐

太阳岛	哈尔滨市郊松花江北岸
五大连池	北安市德都县境内
镜泊湖	宁安市境内
火山口森林（地下森林）	宁安市境内
渤海国上京龙泉府遗址	宁安市境内
斯大林公园	哈尔滨市松花江南岸
扎龙自然保护区	齐齐哈尔市东南35公里处
龙沙公园	齐齐哈尔市区西北嫩江江心
漠河	漠河县漠河镇
圣·索菲亚教堂	哈尔滨市道里区
哈尔滨东正教堂	哈尔滨市南岗区
松花江	哈尔滨市
极乐寺	哈尔滨市南岗区东大直街

文化娱乐

亚布力滑雪旅游度假区	黑龙江省东部尚志市境内
玉泉狩猎场	哈尔滨市玉泉镇
桃山猎场	哈尔滨东北238公里处
黑天鹅电影娱乐中心	哈尔滨市道外区承德广场
松花江冬泳浴场	哈尔滨市区内松花江上
百乐宫	哈尔滨市南岗区一曼街17号
黑龙江省冰城画廊	哈尔滨市南岗区奋斗路342号
哈尔滨冰上训练基地	哈尔滨市南岗区东大直街

冰雪游乐项目：冰爬犁（冰橇）、冰帆、溜冰、冰猴（冰陀螺）、冬泳、冰灯游园

特色餐饮

松滨饮店	特色：经营传统的京、鲁、川风味和黑龙江的山珍野味	哈尔滨市道里区中央大街71号
老都一处饺子馆	特色：经营品种多、色、香、味、形俱佳的饺子而称"东北一绝"	哈尔滨市道里区西十三道街
福泰楼	特色：家常桂鱼、红烧熊掌、清汤飞龙	哈尔滨市道里区西13道街19号
北来顺	特色：清真菜、回族涮羊肉	哈尔滨市道里区尚志大街113号
台湾餐厅	特色：台湾风味菜	哈尔滨市南岗区西大直街103号
华梅西餐厅	特色：俄式西餐	哈尔滨市道里区中央大街142号
江南春	特色：山东菜、京味菜、湘菜和扒菜	哈尔滨市南岗区奋斗路319号

名菜名吃：瓜条大虾、三鲜鱼翅、松滨肘子、二烧鱼、全香肉丝、烹狍肉、三鲜飞龙汤、各种熏鸡、风味酱肉、熏肚

名点小吃：老鼎丰糕点、风干香肠、松仁小肚、红肠、大列巴

特别提示

- 游镜泊湖要乘游轮而不宜乘快艇。乘快艇速度太快，来去匆匆，根本无法细观镜泊湖的全貌。
- 到漠河观看"极夜"应选择夏至前后，同时勿忘预备绒衣。这里夏季昼夜温差悬殊，白天穿短袖，晚上得穿绒衣。
- 东北之旅注意事项：
  ①保暖。最好穿戴质地轻柔的防寒服及防寒手套、防寒鞋。这样既可防止在冰雪场上滑倒，又利于登山或行走。
  ②护肤。要带些油性较大的香脂类护肤用品，防止皮肤粗糙、干裂。
  ③护眼。应准备太阳镜，防止雪地反射的阳光刺伤眼睛。
  ④防滑。在冰雪地上行走时，膝盖应微屈，身体的重心向前倾，这样就不易摔倒。
  ⑤禁烟。登山或滑雪，大都在山林中，因此，在野外绝对不可吸烟。
  ⑥防止高山反应。登山时，有极少数人会有轻微的高山反应如气促等，如有此感觉的人宜慢行，掌握好节奏。

旅游购物

黑龙江特产：三花鱼、大马哈鱼、鲟鳇鱼、漠河冷水鱼、熊掌、猴头、北国红豆、漠河大都柿和越桔

游程建议

哈尔滨名城游

松花江畔－纪念塔－文庙－中央大街－太阳岛－黑龙江畔－列宁广场－极乐寺

太阳岛－松花江－斯大林公园－江上世界－市容观光

松花江－太阳岛－极乐寺－镜泊湖－地下森林

亚布力滑雪之旅

第一天在哈尔滨市，参观东北虎林园，晚观冰灯；

第二天乘车去亚布力，午餐后练习滑雪，晚上参观风车山庄（或举行篝火晚会）；

第三天回哈尔滨，参观太阳岛雪雕。

绿野仙踪之旅

牡丹江－镜泊湖（吊水楼瀑布、大孤山、小孤山等）－火山口森林（红松林、地下森林、地下溶洞）

五大连池奇观之旅

齐齐哈尔－北安市－五大连池（冷泉、老黑山）－北安－齐齐哈尔－扎龙自然保护区（观鹤）

节庆指南

哈尔滨冰灯游园会	1月5日~2月末	哈尔滨市兆麟公园	冰雕、冰建筑、冰花
"哈尔滨之夏"音乐会	7、8月份	松花江畔	全国各省、市专业文艺表演团体文娱表演
哈尔滨冰雪节	1月5日~2月5日	哈尔滨市	冰灯游园会、冰雪运动比赛

冰城哈尔滨

哈尔滨是黑龙江省省会，位于黑龙江省西南部，松花江由西向东横贯其境，这里地势平坦，山青水秀，物产丰富。因地处我国北方，气温较低，年平均温度3.5℃，四季中最长的是冬天，冰雪覆盖大地达4个月之久，故有"冰城"之称。这里的冬季严寒漫长，漫天飞雪，滴水成冰，为开展丰富多采的冰雪活动和观赏冰雪奇景提供了得天独厚的自然条件。

太阳岛

太阳岛是松花江中的一个小岛，与哈尔滨市区隔江相望，总面积12平方公里。岛上有水阁云天、仙鹤群、母子鹿、长堤垂柳等风景点。

太阳岛碧水环抱，树木茂密，具有质朴、粗犷、天然无饰的原野风光特色。岛上最广阔的地带是丛林和草地，沿岸是带形的宽阔沙滩，白沙碧水，阳光充沛，是天然的日光浴场。路旁遍布鲜花和用五色草堆成的立体花坛及各种雕塑，有母鹿和小鹿、群鹤栖飞、童子抱鲤鱼、少女摇船等动人形象，与周围乡野景色相映衬，情趣横生。

冬季由于气候严寒，松花江封冻成为一条冰河，冰层达70~80厘米厚，是开展冰上活动的黄金季节。这时可到太阳岛，在冰覆雪盖的松花江上进行打冰橇、乘冰帆、冬泳、溜冰、坐雪橇、打冰猴等各种有趣的冰上活动和游戏。

哈尔滨的冰雕冰灯

　　哈尔滨冬天气温很低，江河结冰1米多厚，将冰开凿下来，可雕成各种艺术品，如楼台亭榭、银桥古刹、古今人物、飞禽走兽、花草鱼虫等。雕塑生动逼真、栩栩如生。白天看上去晶莹剔透，夜晚则熠熠生辉。

　　冰灯是流传在黑龙江省民间的一种独特的艺术形式，历史由来已久。它是利用北方特有的天然冰雪，以巧夺天工的冰雕技艺和绚丽斑斓的灯光造型，使园林形成独特的冰雪艺术整体，冰雕玉砌、雪树琼花，成为冬季特有的景色。夜幕降临，到处彩灯齐明，满园生辉，宛如神话中的水晶官殿一般，堪称北国冰城一大奇观。

冰雪节

从1985年开始，每年1月5日被定为哈尔滨的"冰雪节"，届时在兆麟公园举行盛大的冰灯游园会。游园会一般要持续两个月。这时园中布满了各色冰雕，有冰雕人物、动物，有宏伟的冰雕城楼古堡，有宛如天生的冰峰玉洞，也有独放异彩的冰灯雪盏，将天然冰雪和灯光色彩巧妙地配合起来，把公园装饰得似神话中的水晶宫，吸引了不少中外游客观赏。冰雕艺术年年创新，使人百看不厌。

东正教堂

东正教堂

　　20世纪初，沙俄入侵中国东北地区后，帝国主义的宗教渗透，使哈尔滨市成了东北三省教堂最多的城市，仅东正教教堂就有22座，其中东正教堂是规模较大和较早建成的一座。

　　东正教堂坐落于哈尔滨市市区内，建于1899年，整座教堂为拜占廷式建筑，其中央的主体建筑有标准的大穹隆，红砖结构，巍峨宽敞。

东正教在中国

清雍正五年中俄签订《雅克图条约》以后，东正教传入中国，中国在那一年开放了雅克图与帝俄通商，帝俄的东正教教士便开始进入中国的东北边区传教。1903年，以哈尔滨为起点的中东铁路通车，哈尔滨成为中国东北的重镇，也成了东正教教士传教的中心。

北国风光

地处北国的黑龙江风光秀丽迷人、多姿多彩。黑龙江水清沙净、水草丰盛；地处北国的松花江两岸风光无限；牡丹江以其迷人的风貌吸引着游人。除此以外这里还拥有中国最大的熔岩堰塞湖——镜泊湖。

松花江树挂

松花江是黑龙江最大的支流，由干流、正源第二松花江和支流嫩江组成，广布于大、小兴安岭和长白山之间的松嫩平原上，水流浩荡，景色旖旎。

冬季，松花江两岸冰雪封冻，游人可以饱览童话般的风光，尤其是江畔千姿百态的各种树挂，更是闻名中外的自然奇景。树挂学名叫"雾凇"，是雾和水气凝结在树枝上形成的自然

现象。松花江畔多松、柳、榆、槐，由于树枝、树叶形状的不同，树挂便也千姿百态。来到松花江畔，目睹"寒江雪柳"的树挂奇景，人们禁不住惊喜赞叹。

专家指点

树挂现象在一冬之中会出现60多天，一二月份各有20天左右，冬至以后几乎每日可见。每次从傍晚开始出现，直至次日午后才逐渐消失，每次长达20多个小时。

嫩江鹤乡

嫩江中游的扎龙地区，素有"鹤乡"之称。这一带人烟稀少，地势较低，到处是沼泽、湖泊，水中鱼类繁多，岸边芦苇丛生，是水鸟栖息繁殖的最佳环境。每年春夏时节，各种各样的水鸟、涉禽来此安家、繁衍后代，如灰鹤、白鹤、苍鹭、鸳鸯、天鹅、大雁等各种珍禽。其中最为著名的是丹顶鹤，扎龙地区是目前我国第一个大型水禽综合自然保护区。

镜泊湖

镜泊湖古称忽汗海、湄沱湖、毕而腾湖，位于宁安市南部牡丹江上游，由火山熔岩壅塞牡丹江河床而成。它是我国最大的山地堰塞湖。湖面海拔350米，面积90平方公里，最深处达90米。由西南至东北蜿蜒曲折，长约45公里，称为百里长湖，最宽处6公里，湖水碧绿，南浅北深。湖东岸为老爷岭，西岸为张广才岭余脉，峰峦叠嶂，林木丛生港湾众多，湖平如镜。

镜泊湖的形成

据考证，大约在1万年以前，火山群爆发，大量的火山物质和熔岩流汇在一起，堵塞了牡丹江河道，河水滞存在山间断陷的盆地中，形成了堰塞湖，即镜泊湖。

吊水楼瀑布

吊水楼瀑布是黑龙江省内的第一大瀑布，在全国瀑布中也颇有名气。它是镜泊湖水泻入牡丹江的出口。

瀑布高约20米，宽约45米，湖水飞流直下，具有很大的冲击力，年长日久，竟将瀑底砸出了一个60米深的水潭。由于流水落差大，水流急，瀑布发出雷鸣般的轰响，距瀑布1公里外就能听到响声。

奇特的地貌

　　黑龙江省除了连绵的群山、秀丽的江河湖泊外，还有被誉为"火山博物馆"的五大连池，以及兴凯湖等。它们同样具有独特的魅力，使游客慕名而来，乐而忘返。

五大连池

　　五大连池在德都县西北23公里处，1719～1721年，因火山熔岩堵塞白河河道，形成了五个相连的火山堰塞湖，故名五大连池。五大连池周围有14座处于休眠状态的火山及大面积石龙熔岩，形成异常壮观的五大连池火山群。五大连池风光奇异，巍峨耸立的火山群环抱着碧波荡漾的火山湖，加上起伏的石龙熔岩，形成了一座天然的"火山公园。"

火山喷发的熔岩，流至山下，冷凝成各种有趣的形状。石龙岩，因象龙形而得名。

地下森林

　　地下森林又称"火山口森林"，位于宁安县沙兰乡境内，镜泊湖西北45公里处。这里由于喷出的岩浆冷却和收缩，火山顶部随之塌落，形成内壁陡峭的多处火山口，由于火山口内的土质、湿度非常适宜植物生长，所以这里长满红松、紫椴、黄菠萝、水曲柳及其他植物，形成了奇特罕见的"地下森林"。

兴凯湖

兴凯湖位于中国东北与俄罗斯交界的边境上，是古代火山爆发后，因地势陷落积水而成。"兴凯"是满语，意思是水从高处流向低陷的地方。湖略呈椭圆形，面积为4380平方公里，湖面海拔69米，最深处达10米，共有9条河流注入，湖水从东北方溢出，最后流入乌苏里江。湖的北面有小兴凯湖，全在中国境内，面积140平方公里。两湖间有宽为1公里的沙坝，水涨时则相连为一。

兴凯湖景色优美，多姿多采。春夏之际，烟波浩淼，碧水蓝天，浑然一体；秋冬来临，冰封雪结，辽阔的湖面，银光闪闪，皎洁晶莹，仿如一个玲珑剔透的玻璃世界。

黄金之路

黑龙江畔盛产黄金，人称"黄金之路"。300多年来，人们从这里淘出的黄金不计其数。

罕达汽金矿在黄金矿中最负盛名。在通往罕达汽金矿的公路上，阳光下闪烁着点点金光，这就是剩下的金屑、金皮，它表明这公路附近就盛产黄金。

林海雪原

牡丹江流域地处黑龙江省东南，由于受日本海温暖气流的影响，降雨降雪都比较多。特别是在张广才岭和老爷岭森林地带，冬季积雪厚度常达1米，积雪期长达半年以上，这期间每逢大雪漫天时，路径埋没，千里林海显得幽深难测，因此被人们称为"林海雪原"。著名小说《林海雪原》所讲的故事就发生在这一带。

边地民风

　　松花江和嫩江流域以其美丽的山河、丰饶的物产，哺育了两岸的各族人民，这里是满族的发祥地，也是赫哲、鄂伦春、达斡尔、锡伯等民族世代生息的地方。

赫哲渔乡

　　"乌苏里江长又长，蓝蓝的江水起波浪。赫哲人撒开千张网，歌儿满江鱼满仓……"

　　赫哲族人生活在北纬45°线以北的严寒地带，每年有长达7个多月的结冰期。尽管冬季天寒地冻，甚至漫天大雪，街津口、八岔、四排一带，到处可见赫哲渔民破冰捕鱼的繁忙景象。勤劳智慧的赫哲渔民，在长期的生产实践中，创造了种种使人惊叹的冰下捕鱼方法。

　　赫哲族吃鱼方法除了溜、炒、煎、炸之外，还有吃生鱼的习惯。其中最为有名的"拌生鱼"，即取活鲤鱼，放血后片下鱼肉，切成细丝，用好的米醋浸泡，待肉变白，再拌上讲究的调料，吃起来鲜而不腥，凉滑爽口，味美异常。

赫哲族的服装多用鱼皮、兽皮制成，他们把鱼皮或兽皮用野生植物染色，剪成各种图案缝缀在服装上，以求花色艳美。

赫哲族传统的生产、生活用具，多是用桦树皮制成。有的桦皮制品，不用线缝，而是精巧地咬合，外面刻上各种花纹图案，既美观又严密、坚固。

冬季在江上将新出水的鲜鱼，剥去鱼皮，用刀削成薄薄的片，蘸盐酱吃，称为"鱼刨花"。

狍皮帽

狍皮手套

兽皮工艺

　　熟制兽皮和缝纫、刺绣各种兽皮制品，曾是鄂伦春妇女主要劳动项目之一。在鄂伦春人现代日常生活中，兽皮虽被毛呢、化纤衣料所代替，但猎人冬季进山，仍需穿着耐寒耐磨的狍皮服装，带上狍皮睡袋。鄂伦春妇女把兽皮技艺作为传统的民族工艺继承下来，她们的皮革制品，装饰花纹古朴和谐、美观大方，具有鲜明的民族特色。

鄂伦春的猎人

　　大、小兴安岭密林深处，生活着勤劳、勇敢、纯朴的鄂伦春人。在长期的历史发展中，鄂伦春族和其他民族一道开拓和保卫了这块美丽神圣的疆土。

　　从前，鄂伦春族世代以狩猎为生，他们的狩猎生涯艰辛而又充满英雄气概。每次"围猎"期，猎民都要在零下三四十度的深山里露宿生活几十天。猎民豪迈地说，进山有火柴、盐巴、枪枝就会生活得很好。目前，狩猎仍然是鄂伦春族经济生活的一项重要补充。

　　在兴安岭密林中还生活着种类繁多的珍贵野生动物。这些野生动物一直是鄂伦春人的衣食之源。他们经常猎捕的有熊、狍子、野猪、犴达罕、马鹿、灰鼠等。目前国家已明令保护一些稀有动物，不准继续猎杀。

穿着狍皮装的鄂伦春猎人

鄂温克族猎民用火烧石来烤制经过发酵的面列粑。

鄂温克人

　　鄂温克族主要聚居在大兴安岭，是我国唯一饲养驯鹿的民族，他们绝大部分信仰萨满教，有的人还保留着对熊的崇拜。

与驯鹿亲密无间的鄂温克人

港 澳 台

香港被世人誉为"东方之珠"。她既有热闹的城市街景，也有旖旎的海湾风光，清幽的山林风情，于一派繁华之中透出闲适与清幽。澳门既有浓郁的东方气息，也有多彩的欧洲风情。除了迷人的海滨风情外，让澳门声名远播的是各种娱乐业，葡京大酒店的赌场世界闻名。宝岛台湾，四面环海，景色秀丽，气候宜人。美丽的阿里山风景清幽，山峦清秀，迷人的日月潭碧水轻荡，波光点点。除了宝岛秀色美景之外，台湾的风味小吃也令人垂涎。香港、澳门、台湾各以其独特的魅力吸引着游人。

港澳旅游指南

景点推荐

维多利亚公园	铜锣湾高士威道与维国道之间
香港公园	中区红棉道
香港仔	香港岛南部
大屿山	香港岛西部
太平山	香港岛西北部
浅水湾	香港岛南部海边
山顶公园	太平山下
动植物园	太平山下
宋城	美孚地铁站出口处
万佛寺	沙田火车站附近山岗上
姻缘石	宝云道对上山坡
宝莲寺、天坛大佛	大屿山木鱼峰顶
长州太平清礁	香港岛西面12公里处
大三巴牌坊	澳门中央大炮台上
普济禅院	澳门半岛东北部
东望洋山	澳门半岛东部
西望洋山教堂	澳门半岛南端
妈阁庙	澳门半岛西南端妈阁街
凼仔岛	澳门半岛以南

文化娱乐

香港

双城吧	铜锣湾告士打道281号怡东酒店
龙船吧	中环皇后大道中2A号希尔顿酒店
花园雅座	长洲东湾道84号地下
嘉年华吧沙田	大涌桥道沙田丽豪酒1楼
杨氏蜡像馆	弥敦道上
太空馆	尖沙咀天星码头
海洋公园	港岛南区南朗山
北海渔村	西贡东面海上小岛桥咀州之西
香港赛马场	跑马地与沙田

澳门

孙中山纪念馆	澳门荷兰园正街
黑沙海水浴场	澳门离岛路环东南
葡萄酒博物馆	澳门半岛
赛车博物馆	澳门半岛
葡京酒店	澳门半岛
澳门赛马场	澳门半岛

旅游购物

香港

名店街：中环中心金钟、湾仔尖沙咀、尖东、铜锣湾百德新街
闹市街：旺角弥敦道、铜锣湾怡和街
女人街：由旺角通菜街的豆皆老街到登打士街段
男人街：在油麻地庙街，由文明里直到西贡街一段
玉器市场：油麻地甘肃街西段

澳门

新马路上的珠宝金饰，是旅游购买热点，电器、照相机、摄录机、手提电话等也吸引了不少游客。

特色餐饮

香港

粤菜：遍及香港

潮州菜：九龙城

上海菜：香港老正兴

海鲜：海鲜舫

西餐：湾仔皇后大道东合和中心顶楼旋转餐厅，中环富丽华酒店旋转餐厅

粥面店：各住宅区茶楼

澳门

澳门凼仔和路环岛上的葡国餐厅（葡萄牙式西餐）以及遍及澳门大街小巷的茶餐厅、咖啡室很有特色。

游程建议

香港

港岛游：茶具文物馆－太平山－中环－荷李活道－海洋公园

九龙游：九龙公园－黄大仙祠－玉器市场－尖沙咀

新界游：联和墟－粉岭－香港铁路博物馆－大埔－新城市广场－沙田

离岛：长沙湾－宝莲寺－大屿山茶园

电车游：中环－西环观赏昔日遗风－荷里活道－上环西港城午餐－太古广场－铜锣湾红香炉－北角－太古城－沿途赏夜景返中环

澳门

观音堂－大三巴牌坊－国父纪念馆－普济禅院－东望洋山－卢九花园－海事博物馆－西望洋教堂－市政厅－凼仔村－赛马博物馆－观音岩－路环岛－谭公庙－竹湾海

澳门"怀旧之旅"的旅游线，是乘搭一种外形仿造1920年的英国皇家轿车的巴士，往澳门各主要旅游点观光，这种巴士称为"豪华古董老爷车"。车厢内的装饰古色古香，可乘载9人，停靠在葡京酒店前，旅游者可自行购票游览。

特别提示

- 香港比较高级的中式酒楼多集中在中环、尖沙咀东部、铜锣湾以及主要街道如弥敦道、轩尼诗道等。尖沙咀东部，是饭店密度最高的地方，24小时都有饮食供应，而且丰俭由人。一般无特别名称或注明地方者，都是粤菜馆。
- 除了海鲜舫，香港很多自然风光秀丽的渔村、岛屿，也是吃海鲜的好去处。如位于香港岛的香港仔渔村、位于九龙半岛的西贡、位于大屿岛的大澳渔村、位于南丫岛的索罟湾和榕树湾等。地道的西餐厅多设在各高档旅馆里，环境高雅华贵，讲究原汁原味的欧陆烹饪。
- 观赏香港夜景最佳的地点是九龙的尖沙咀。
- 内地居民去澳门需办理入境签证。如果参加旅游团，则由承办旅行社代办有关出入境手续，旅游者携带古玩、珠宝、黄金、收音机及照相机等物，均可自由进出，不用报税。澳门是自由港，但不允许携带毒品等违禁物品。如果旅游者携带进口电器入境，需缴纳5%的进口税。出入澳门，除例行检查外，一般无需填写海关申报单。

节庆指南

香港国际电影节	3~4月	香港	参赛电影展、文艺晚会
香港食品节	3~4月	香港	食品展销
香港天后诞节	农历三月二十三日	香港	元朗天后会景巡游
香港艺术节	10月	香港	戏剧、音乐、舞蹈演出及艺术讲座
澳门花灯会	农历正月十五	澳门	花灯会

台湾旅游指南

景点推荐

阳明山公园	台北市北侧
双溪公园	台北市北境
龙山寺	万华龙山区广州街
野柳怪石	台北县万里乡
指南宫	木栅万寿路 115 号
吴渡妈祖宫	淡水河下游
佛光山	高雄县大树乡境内
鹅銮鼻	恒春半岛
宜兰风景	台湾岛东北端
台南孔子庙	台南市南门路
北港妈祖庙	台湾北港
安平古堡	台南市西郊安平镇西南
鹿港龙山寺	鹿港镇龙山里金门巷
澎湖列岛	台湾海峡
开元寺	台南市
日月潭	南投县鱼池乡水社村
九族文化村	南投县鱼池乡水社村
阿里山	嘉义县吴凤乡
太鲁阁	花莲县北境立雾溪谷内

文化娱乐

台湾故宫博物院	台北市士林镇外双溪
圆山动物园	台北市
中山纪念堂	台北市
袖珍博物馆	台北市建国北路一段 96 号 B1
坪林茶叶博物馆	台北县坪林乡
顺益原住民博物馆	台北市至善路二段 282 号
高雄港邮轮游港	高雄市大勇路 6 之 2 号
木生昆虫博物馆	南投县埔里镇镇南村路 6 - 2 号
日月潭孔雀园蝴蝶馆	南投县鱼池乡水社村
大世界国际村	高雄县三和里菜路 15 号
大非洲野生动物园	高雄县大树乡和山路 198 - 1 号
中国电影文化城	台北士林区至善路
童话世界	新竹县关西镇东山里

特色餐饮

欣叶餐厅	特色：台菜、日本小火锅、蒙古烤肉	台北市双城街 34 - 1 号
福宝饮食店	特色：炸豆腐、红烧豆腐、豆腐羹	台北县石碇乡东街 75 号
美加茶园	特色：茶叶饭、茶叶鸡、炸茶叶	台北市指南路 3 段 38 巷 19 号
理面风味食堂	特色：非常面、鸡堡饭、香妃面	台中市忠明南路 467 号
永丰栈丽致酒店	特色：粤菜、西餐	台中市中港路二段 9 号
海洋都会馆	特色：海鲜	南雄市七贤二路 35 号
玛玛米亚	特色：意式西餐	高雄市新兴区中正二路 186 号

特别提示

- 台中中华夜市以海鲜为主,忠孝路夜市以豆花最有名；高雄六合夜市冷饮、热食、南北口味，一应俱全，时间为 17:00～3:00。
- 台湾地处亚热带，但位于台中南投和花莲两县交界，海拔 3416 米的合欢山，每到冬季也是一派银装素裹，积雪深达 12 米，是最好的赏雪和滑雪区。
- 台湾各景点设有"山地文化村（高山族文化村）"，以展示其独特的民族文化。

游程建议

景观之旅

景观之旅北起水里，南至玉山，全长约100公里。该线连接日月潭、东埔、玉山及阿里山各大风景区，游客可欣赏到东亚第一高峰——玉山的壮丽景观。此外，峡谷、温泉、日出、夕阳、云海、林木、雪景、山地部落及各种各样的动植物，亦别具独特的个性。这条旅游线路最具台湾特色，游客可多停留几日，一般可作三至四日游或更长时间。沿途景点包括：日月潭、九族文化村、庐山、清境农场、信义村的丰丘葡萄观光果园、溪头、杉木溪、和社、东埔、神木村、玉山国家公园、鹿林山国家公园、夫妻树、自忠和阿里山风景游乐区。

浪漫之旅

台湾东北角海岸风景区，北起台北县南雅，南至宜兰县北港口，全长约40多公里。全线有特殊的海岸景观，包括海滨的峡湾、岩石，绵延数里的沙滩、草原，以及古迹、寺庙等，能满足多样化的休闲娱乐活动。游客可在此停留3~4天，以充分领略浪漫情怀。

全线景点包括：南雅、阴阳海、鼻头角、龙洞、西灵岩寺、金沙湾、监寮海滨公园、龙门河滨公园、福隆海水浴场、双溪、老兰山、卯澳、三貂角、大里天公庙、石观音寺、桃源谷、鸢石尖、蜜月湾、草岭古道、北关等。

寻幽之旅

西起台中县东势镇，东抵花莲县太鲁阁，全长189公里，全线以大禹岭为界，以西多瀑布、水库，并以温带果园著称；以东则以峭壁、纵谷及隧道名闻全省。全程可作二日游，西起东势，夜宿梨山。主要景点包括谷关、德基水库、中横宜兰支线、梨山、大禹岭、天祥至太鲁阁等。

古今之旅

景点大都集中于市区，包括中正纪念堂、国父纪念馆、青年公园、双溪公园、龙山寺、孔庙、新公园、动物园、台北海洋生活馆、北投温泉、故宫博物馆、阳明山国家自然公园、地热谷等。

旅游购物

- 台北市：西门町、诚品商场西门店、敦化南路、中兴百货、远企购物中心、衣蝶百货云集了各种服饰服装精品。
- 台中市：理想国国际街、逢甲路、精明街的街道两旁，精品名店与精致茶坊、咖啡座林立，是购物、休闲的好去处。
- 台南市：新堀江商场、新光三越百货、远东百货、福华名品街、尖美百货、太平洋崇光百货等，网罗了百货精品。

适宜购买的物品有：澎湖文石、台湾玉、三义木雕、百宛人的雕刻、台湾面塑、古铜器、皮雕、水晶饰品、大甲席、大甲帽。

特色小吃

台南度小月担仔面、台南鳝鱼意面、新竹贡丸、新竹肉圆、台中麻叶羹、润饼、蚵仔煎、红豆麻薯、花莲芋、珠珠奶茶

节庆指南

迎神赛会	农历三月十五日	台北大龙山	演戏酬神、祭拜、扎火狮
祭孔大典	农历八月二十七日	台北大龙街孔子庙	奏雅乐、跳八佾舞、读祭文
中元普渡节	农历七月	台湾各地	挂纸灯、办菜肴祭祀
义民节	农历七月二十日	新竹新埔的义民庙	糊大土爷、放水灯、普渡

东方之珠

　　香港位于中国珠江口东侧，与深圳市毗邻，包括香港岛、九龙、新界三部分，总面积1068平方公里，人口600万。

　　香港虽是弹丸之地，却千姿百态，白天的忙碌和夜晚的松驰，风清云淡和拥挤繁华，各种不同的文化在这里水乳交融，这就是香港。

香港夜色

　　人们常说只有太阳西下以后，才能看到真正的香港。因为只有到了夜间，香港才将内含的光芒释放，让你在无边的美色前流连忘返。香港岛夜景的最佳地点是九龙的尖沙咀，每当夜幕降临，中环广场、中银大厦、倍德中心以及其他许许多多的摩天大厦以彩灯勾勒出棱角，窗内映出白的或黄的灯光，玲珑剔透，恍若琼楼。稍低一点的是重重叠叠的商厦民宅，它们以光连成一条彩带，与摩天大厦的轮廓一起倒映在维多利亚港的水中，煞是好看。星星点点的灯火一直蔓延到太平山顶，给人一种纵深感，也令港岛夜色更趋完美。

大屿山释迦牟尼佛像

大屿山

大屿山位于香港岛的西部，它不仅是香港地区一处风景优美的闹市中的静地，而且文物古迹众多，如建于清初的分流古堡(亦称石笋炮石)、东涌寨城、侯王庙、万丈布、观单寺等等。尤其是近来的昂坪宝莲寺修建了天坛大铜佛之后，游人更是络绎不绝。

天坛大佛为释迦牟尼佛像，全部用铜铸成，总高34米，被称为"世界最大的铜佛像"，庄严雄伟。

电车叮当

香港的有轨电车始于1904年，是香港最有特色的交通工具，古老、便宜、方便，香港人把它称为"叮叮当"。四五十年代在世界上许多城市都掀起淘汰有轨电车的浪潮，而香港却保留至今，成为香港一景。

浅水湾风光

浅水湾海滩绵长、滩床宽阔、水清沙细、波平浪静，是游客必到的景区。沙滩上建有中国古典色彩的镇海楼公园，园内塑有十多米高的天后娘娘及大慈大悲观音神像，旁边有长寿桥等胜景。这里有各类饮食店，也有跳蚤市场出售纪念品。附近有深水湾、中湾、南湾、赤柱正滩等海浴胜地。浅水湾亦是高级住宅区之一。

海洋公园

　　位于香港南部香港仔的海洋公园，三面环海，占地87万平方米，是亚洲最大的海洋公园。它包括海洋天地、集古村、绿野花园、雀鸟天堂、山上机动城、急流天地、水上乐园、儿童王国等八区。海洋天地由海洋馆、鲨鱼馆、浪涛馆、海洋剧场及海拔200米的海洋摩天塔组成。海洋馆玻璃饲养池内分层饲养约5000尾、400种不同类别的深、浅海水鱼。环绕水池建有一条浅水区走廊，深水区有三条走廊供游人观赏五彩缤纷的海底世界。

海豚表演是海洋公园的"王牌节目"。

　　这里海豹、海狮沐浴在海岩错落之处，企鹅漫步沙滩上。海洋剧场依山设3500个座位供游人观看海狮、海豚的精彩表演。集古村以中国5000多年的历史为背景，集自先秦至明清各代的建筑缩影。

　　急流天地包括滑浪飞船、太空摩天轮等。雀鸟天堂包括百鸟居、小鸟天堂、雀鸟剧场等。山上机动城包括星际蜘蛛、疯狂过山车、冲天摇摆船等。绿野花园包括金鱼大观园、鱼乐园、蝴蝶屋、热带温室等。公园内建有登山缆车和户外登山电梯供游人代步。户外登山电梯长225米，依山势以30°倾斜角沿山坡攀升而上往返于山顶的海涛馆和大树湾，每小时载客4000人，是目前世界最长的户外登山电梯系统。

登山扶梯

海洋公园一景

赛马

香港的赛马源于英国。赛马本身是体育活动，而香港的赛马，则多为各阶层人士普遍参与的合法博彩和娱乐活动。每年的9月至翌年的6月是马季时间。赛马通常在星期三晚上或星期六、星期日下午进行。赛事在跑马地快活谷赛场或沙田赛场举行，每场赛事都有约45000人入场观赛。

自从香港政府于1891年取缔公众赌博和彩票后，赛马便成为政府特准的唯一博彩形式。大众必须使用赛马场内的投注窗、赛马场外的马会投注站及马会的电话投注户口、"投注宝"进行，才算合法。私人收受投注属犯法。

香港赛马会

香港赛马会于1884年正式成立，是负责赛事组织、日常营运和投注管理的机构。它是有限公司，故设有股东。从事赛马及设计投注业务所得的净额盈余，悉数拨给慈善事业、社会公益事业，文化康乐事业之用。

购物天堂

　　"购物天堂"、"亚洲美食之都"这些名称指的都是香港。香港满街令人眼花缭乱的商店和餐馆向你生动而具体地展示着这个魅力无穷的小岛。

名店汇中环

　　中环是香港金融业的心脏，气派雄伟，到处是高耸入云的摩天大厦 。这里高档写字楼云集，川流不息的人群多是西服革履的男士和名牌套裙、高跟鞋的淑女。在香港，中环人高档摩登的穿戴被称为一景。中环路边荟萃着大量中、高级名店，车海人潮十分热闹。

　　置地广场是拥有许多顶尖级名牌的商厦名店，室内的金色雕塑、喷泉和轻柔音乐，使逛店买时装成了一种享受。这里有名牌荟萃的两家豪华店面——The World Joyce和迪生名牌世界。名牌店的长龙一直延伸到置地广场相邻的历山大厦、太古大厦、太子大厦。

铜锣湾

　　铜锣湾集中了货色中档又贴近日常生活的店铺。这一带有许多日资百货公司——Sogo、大丸、三越、松板屋等等，档次属于中等偏上。还有两家英资百货公司，高档的连卡佛(Lane Crawford)和中档的马莎(Marks & Spencer)。

　　铜锣湾的道路纵横交错，沿街有许多便装的名牌连锁店——佐丹奴、U2、G2000、Bossini等。

高低兼备尖沙咀

尖沙咀购物区的高低档次拉得很开，半岛和丽晶酒店是消费超一流的顶级名牌大酒店，而加连威老道则专卖香港工厂出口剩余的服装，香港人称为"出口贷尾"，很有一点像北京的秀水街、广州的高第街、上海的华亭路。别看大小店面装修简单，摆挂零放的尽是些款式面料上乘的便装名牌，价格却是低廉实惠。

香港美食

香港的中菜馆，是香港美食的核心。中国东西南北中的各路大菜系和各种风味小吃，几乎都在香港生根开花，最具代表性的还是粤菜、潮州菜和上海菜。

专家指点

● 春节初一至初三香港的商店一般关门歇业，应避免吃闭门羹。
● 香港气候潮热、手脚容易涨大，宜给自己准备双稍大的软底鞋。购买戒指时应注意尺码，在香港挑选时戴着正好，回家后总会显得大一点点。
● 购买时装要看好面料的洗涤说明，有些浅色或新品种的面料，洗时会比较麻烦。
● 香港人的体型普遍偏瘦，而内地特别是北方人腰围臀围粗，购买时应注意尺码。

海鲜是香港饮食的一大特色。全港最大的海鲜餐厅位于香港仔，这座海鲜舫可以容纳宾客4300人，规模乃全港之冠。除了海鲜舫，香港很多自然风光秀丽的渔村、岛屿也是吃海鲜的好地方，去这些地方吃海鲜既经济又可体味香港本地居民的生活情调。

澳门

　　澳门地处广东珠海市以南,旧属广东香山,十九世纪末被葡萄牙人占据。现在,澳门已发展成为重要的国际城市。优越的地理位置、宜人的亚热带气候和发达的服务设施使澳门在国际旅游业颇具影响。

大三巴牌坊

　　大三巴牌坊是澳门最著名、最古老的建筑之一,至今已有400多年的历史。它恢宏高峻,造型雄奇,充满宗教色彩的雕塑,风格独特。整个建筑具有极高的文物价值、艺术价值和历史价值。大三巴牌坊又名"圣保禄教堂遗壁",是澳门的一个重要标志。其名称"三"和"巴"均为外文译音。所以称为"大"是为有别于当时另一座三巴仔教堂。圣保禄教堂历史悠久,据我国古籍记载,原称为"三巴寺",它是当时葡萄牙天主教耶稣会教士来澳传教的一个基地,历史上曾先后遭三次大火,屡焚屡建,至今只留下圣保禄教堂的前壁,即大三巴牌坊。

澳门居民信仰的宗教有佛教、天主教、基督教、伊斯兰教和巴哈伊教等,图为凼仔岛上的"四面佛"。

> **专家指点**
>
> 　　澳门是个多雨的城市,平均年降雨量达1974.5毫米。每年4~9月是雨季,雨量占了全年的83.5%,其中又以6月份最多。因此游人应注意当地的气候情况。

大三巴前的雕像

大三巴

妈祖阁

澳门民间最原始的传统信仰主要是对海神的崇拜。因地处沿海，经常出海作业，所以就祈求神灵保佑出海人平安返回。妈祖是澳门人最崇拜的海神。

妈祖阁位于澳门半岛西南端，始建于明弘治元年，有弘仁殿、大殿及石殿、观音阁等主要建筑。前三殿均视妈祖为神像。妈祖阁依山临海，古木婆娑，为澳门三大中国古刹中历史最悠久的。当地人信奉妈祖，在农历三月二十三日妈祖诞辰及每年除夕夜赶赴妈祖阁祈福之俗，至今兴盛不衰。

澳门半岛上的最高峰东望洋山只有91米高。可它却是澳门历史的一个缩影。山上有一座给轮船导航用的灯塔，它是远东地区最早的灯塔，建于1865年，距今已有130多年历史。

望洋山上的古炮台

澳门博彩

澳门的旅游、博彩业历史悠久，独具特色，在现代澳门经济中仍发挥着支柱产业的作用。

葡京酒店是澳门最大的五星级酒店。该酒店为圆柱形，高10层，具有典型的葡萄牙建筑风格。酒店楼顶镶嵌着无数华灯，彻夜不息，把大半个澳门辉映得通明透亮，成为澳门最具盛名的夜景。酒店设有十多种博彩，是澳门最具规模的赌博场所，并为澳门带来了"东方拉斯维加斯"的称号。

山水台湾

台湾是中国美丽富饶的宝岛。它位于我国东南海域，与福建省隔海相望。每当我们听到"高山青，涧水蓝，阿里山的姑娘美如水，阿里山的少年壮如山……"的歌声，就仿佛看见了台湾的青山秀水，就梦想有一天和美丽的高山族姑娘一起跳舞歌唱……

日月潭

台湾省天然湖泊很少，最大和最有名的是日月潭。

日月潭风景区位于南投县，是玉山和阿里山涧的断裂盆地积水而成。湖面海拔760米，周长35公里，水域面积9平方公里，平时水深30多米。日月潭中有一个小岛，远看好象浮在水面上的一颗珠子，所以这个小岛被叫做"珠子屿"，现在也叫光华岛。以这个岛为界，湖的北半部分圆圆的像太阳，湖的南半部分弯弯的像月牙，这就是日月潭名字的来源。

日月潭之所以美丽，是因为它的四周是一座座长满绿树的山，而湖水又静静的，蓝蓝的，像一面镜子，把周围的山色倒映在湖里。另外，一年四季，早晨晚上，映在湖里的景色也不一样，变来变去，就像传说中的仙境。

美丽的日月潭

雕刻是台湾高山族百宛人的传统工艺。有木刻、石刻、竹刻、骨刻，其中以木刻最多。雕刻纹理深浅适度，图案变化无穷，花虫鸟兽千姿百态，人物形象栩栩如生。

台湾是蝴蝶繁殖生长最理想的乐园，也是我国产蝴蝶最多的地方，每年产蝴蝶2500～4000万只，在南投县的埔里、雾祖、阿里山及屏东、高雄美侬镇的许多山谷，因积聚大群蝴蝶而有蝴蝶谷的美称。其中，最珍贵的蝴蝶是重月纹凤蝶，最大的蝴蝶是蛇头蝶，最奇特的蝴蝶是五翅姬青斑蝶。

阿里山

阿里山位于嘉义县东山，是由大武峦山、尖山、祝山等18座山组成，从嘉义乘登山火车4小时就可到达。这里的森林、云海和日出被称为阿里山三大奇观。阿里山的森林面积共有3万多公顷，由于气温的差异，从山下到山顶分别生长着热带、温带和寒带十几种林木，成为阿里山森林的独特之处，其中红桧、扁柏、亚杉、铁衫和姬松被称为著名的"阿里山五木"。

阿里山巨大的红桧，高50多米，树围20多米，树龄超过3000年，被称为"阿里山神木"。

高山族风情

高山族是台湾的"原住民"，他们性情豪放，能歌善舞，精于雕塑、绘画和制陶。高山族主要聚居在台湾的山区，从事农业和狩猎。

> **高山族**
>
> 高山族其实是9个语言和生活习惯都不一样的少数民族，他们分别是：泰雅人、赛夏人、布农人、曹人（也称邹人）、鲁凯人、排湾人、卑南人、阿美人、雅美人。

宝岛台湾

　　宝岛台湾处处有美景，佛道神仙也越过海洋在这里安家落户，虽然被海峡阻隔，两岸的文化却血脉相连，两岸人民的心也从不曾分离。

佛光山露天接引大佛

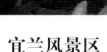

宜兰风景区

　　宜兰风景区位于台湾岛东北端，南北两侧都是高山，东临太平洋，是一个整齐的等边三角形，地面平坦，最适宜种水稻，是台湾东部的"粮仓"。这里风光秀美，山青水蓝，而宜兰县北的礁溪温泉则是台湾最著名的温泉之一，吸引着游人前来观光疗养。

佛光山

　　佛光山位于高雄县大树乡境内，寺院建筑及佛像规模均以雄伟庄严见称，是台湾最著名的佛教圣地，寺内有露天接引大佛，高 32.2 米，是岛内最高的佛像。

指南宫

　　指南宫位于台北市东南郊木栅区猴山坑上，俗称仙庙，海拔230米。指南宫是全台湾著名的大神祠，素有道教圣地之称。宫内的凌霄宝殿巍峨雄伟，殿顶覆以黄色琉璃瓦，重檐飞翘，雕梁画栋，殿内供奉着玉皇大帝。

太鲁阁峡

太鲁阁峡在花莲县北境立雾溪谷内。东段主要风景区有碧绿、新白杨、洛韶、文山温泉、天祥、九曲洞、大断崖、燕子口、长春祠、太鲁阁等。自天祥以下至太鲁阁19公里，由结晶石灰岩形成的峡谷，最为壮观，其中大断崖山南侧的断崖高达千米，尤为山峡地形所罕见，加以沿线的深秋红叶，早春樱花，风光佳丽，令人留连。

双溪公园

双溪公园位于台北士林区至善路，右侧通外双溪，左侧直上阳明山。公园采用中国江南庭园式建筑，面积虽然不很大，但园内亭阁、回廊、水榭、假山，布置得和谐美丽。

北港妈祖庙

北港妈祖庙又称"朝天宫"，建在台湾早期与大陆交往的重要港口北港。清康熙三十三年有闽人傅姓自福建迁台，带来湄州朝天阁妈祖神像在北港建庙奉祀。台湾居民笃信妈祖，不仅视为航海保护神，而且作为年岁丰收和保境安民的象征。

此庙在全台300多所妈祖庙中规模最大。

海岸风景线

台湾是我国最大的海岛，它的东面是太平洋，南面接巴士海峡，西面是台湾海峡，北面是东海。海水日夜拍打海岸，形成各式各样的怪石奇景，连成一道奇异而美丽的海岸风景线。

女王头

野柳怪石

在台北县万里乡有一野柳村，距离基隆约15公里，西北面与金山海岸相对。在基隆遥望，这个石质半岛颇像一只巨大的海龟蹒跚离岸，故又有"野柳龟"的别名。

野柳是一个细长的岬角，突出海面之上，约长2公里，高62米，由砂岩堆积而成。由于岬角长期受海水侵蚀的影响，形成千奇百怪的海岸岩石，加上沿岸波涛汹涌，海滨岩礁风景更显得奇特壮丽。野柳著名的奇岩有女王头、仙女鞋、乳房石、梅花石、情人石、卧牛石等四十多座，都是游人因见岩石的形状，加上想象而命名的。

每当退潮之后，岸边会留下五颜六色的贝壳、海胆，衬以美人蕉、龙舌兰、海芙蓉等海岸植物，蔚然成为一个天然的海滨公园。

野柳岬的迎风面是断崖峭壁，背风面却是苍林翠木，有小径穿行林间，通往小亭，漫步其中，别有一番情调。

鹅銮鼻

台湾南端的恒春半岛，好像一条鱼尾伸入太平洋的巴士海峡。半岛上有两个著名的岬角，分据东西两方，西边的叫做猫鼻头，因岸边有一岩石形如猫蹲踞而得名，东边的就是赫赫有名的鹅銮鼻。

鹅銮鼻位于台湾岛南部尖端，岬角约长5公里，宽1.5～2.5公里不等，最高点海拔122米，属珊瑚礁台地，旧称南岬。"鹅銮"是当地排湾族部落土语的音译，原意为"帆"。

鹅銮鼻前临巴士海峡，与菲律宾的吕宋岛遥对，是南海与太平洋往来的必经航道。著名的"东亚之光"灯塔就屹立在这里。灯塔于清光绪八年(1882年)建成，塔身白色，呈圆形，高18米，有铁梯可登上塔顶，塔顶海拔55米，距离海岸约140米。这是远东最大的灯塔，灯光每隔十秒钟闪亮一次，在十公里内可见。

台湾高雄市海滨礁石猫鼻头，形如蹲伏，仰首伸鼻。

鹅銮鼻

台湾史迹

台湾自古为中国领土的一部分，在史书中曾称为夷州，明代始称台湾，历史上曾多次受到外来侵略。其悠久的历史和名胜古迹，吸引了游人们的视线。

台湾故宫博物院藏有文物64万余件。所藏的商周青铜器，历代的玉器、陶瓷、古籍文献、名画碑帖等皆为稀世之珍。故宫博物院以国宝闻名，已成为中外人士在台湾旅游的重要参观对象。

台湾故宫博物院

台湾故宫博物院位于台北市基隆河北岸士林镇外双溪。始建于1962年，1963年夏落成，占地1.03万平方米，为中国宫殿式建筑，楼高4层，白墙绿瓦。院后有文物贮藏库，院前广场耸立着由6根石柱组成的牌坊，气势宏伟，整座建筑庄重典雅，富有民族色彩。院内收藏自北平(今北京)故宫博物院运走的一部分历代文物珍品及取自沈阳故宫(今沈阳故宫博物馆)、热河行宫(今承德市避暑山庄)的旧藏。

明番莲纹掐丝珐琅小盒: 高6.3厘米、口径12.4厘米的景泰蓝制品。莲心番莲纹小盒，莲瓣瓣尖微卷上扬，呈浮雕式。器内镌刻有"大明景泰年制"六字横款。

西周矢令方尊: 高28.6厘米、宽23.4厘米、重5.9公斤，盛酒器。器形方体圆口，器身纹饰繁密，整个形体稳重庄严。

明万历五彩花鸟纹蒜头瓶:高55.3厘米、口径9.3厘米、足径18.7厘米。此瓶形体高大，口部略如蒜头，故有"蒜头瓶"之称。口边有"大明万历年制"六字款。整个形体古朴端庄，色彩丰富艳丽，画面自然生动，给人以富丽的感觉和美的享受。

唐代颜真卿祭侄稿卷: 纸本为长28.3厘米，宽75.5厘米的行书卷。25行，计234字。此卷为《鲁公三稿》之一，是悼念亡侄季明的祭文草稿。此卷不拘形式和体格，显得特别自然生动，运笔节奏格外跌宕起伏，由静而动，由弱至强，充分表现了颜真卿忠耿雄强的个性。

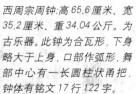

西周宗周钟:高65.6厘米、宽35.2厘米、重34.04公斤。为古乐器。此钟为合瓦形，下身略大于上身，口部作弧形，舞部中心有一长圆柱状甬把，钟体有铭文17行122字。

安平古堡

安平古堡在台南市西郊安平镇西南,据旧志载,原城堡高9.9米,有两层,各立雉堞,是荷兰人侵占台湾时修筑,名热兰遮堡。1662年郑成功驱逐荷兰入侵者后,曾在此设指挥中心,故又称王城。清同治八年毁于英舰炮火。现仅存建于光绪十八年的灯塔。

台南孔子庙

台南孔子庙位于台南市南门路,主要建筑有大成坊、大成殿等。大成殿内奉祀孔子及颜回、曾参等四配,孟子、朱熹等十二哲。殿后有祭祀孔子五代祖先神位的崇圣祠。殿东有明伦堂、文昌阁和朱子祠等。台南孔子庙始建于南明永历十九年(1665年),由郑成功嗣子郑经和部将陈永华倡建,于永历二十年落成,时名"文庙明伦堂"。该庙是全台建筑最早的文庙,也是保存最完好的文庙。

鹿港龙山寺

鹿港龙山寺在鹿港镇龙山里金门巷,原为鹿港街内的一座小庙,清乾隆五十一年(1786年)迁至现址并扩建为规模宏大、造型优美的寺庙。庙坐东朝西,三进院落。庙内的石雕、木刻均十分精美。在台湾较为著名的台南、凤山、淡水及鹿港等几座龙山寺中,鹿港龙山寺是最具古朴风貌的一座。

3000余幅彩色图片带有详细注解

300多个独立条目涵盖每个家居装饰要素

向您呈现完美家居的直观形象和清晰完整的概念

演绎经典时尚的居室空间
营造健康精致的家居生活

定价: 990.00元（上、下卷）